JN113053

国立科学博物館
木村由莉

ブックマン社

プロローグ

「早稲田大学卒業後、大学院留学のために渡米。サザンメソジスト大学で修士号と博士号を取得。スミソニアン自然史博物館で博士研究員を経て、現在は国立科学博物館で研究に従事」

もし私が今、高校生で、目の前にこんな経歴を持つ人が現れたなら、ドキドキしすぎてうまくしゃべれないのではないかと思う。

まさかその人が、「私はね、あなた自身なんですよ」なんて言うのならば、漫画も顔負けの仰天顔ができる自信がある。開いた口がふさがらない。

ちょっと待って。
ちょっと待って。
大きく息を吸って、少し落ち着いたら、
あのこと、聞いてみたい。

「わたし、恐竜博士になれた？」

おっちょこちょいで、要領悪くて、泣き虫で、失敗ばかり。決して向いているとは思わない。でも研究が大好きだ。

これは、青春の全てを恐竜と古生物に捧げ、同級生たちに遅れて10年後にようやく仕事にありつけた古生物学者の、もがいて、もがいて、進んだ道のはなし。

もくじ

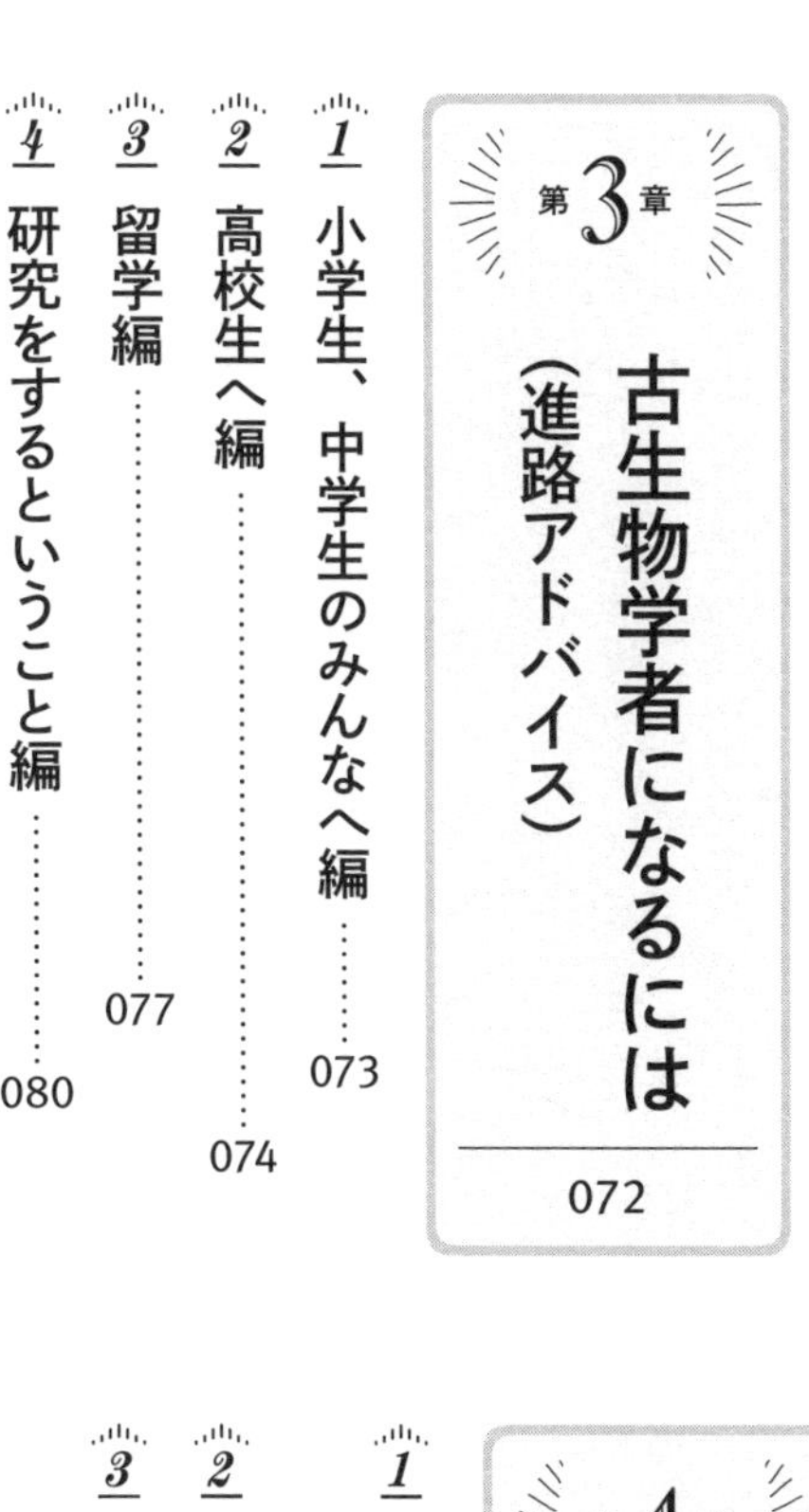

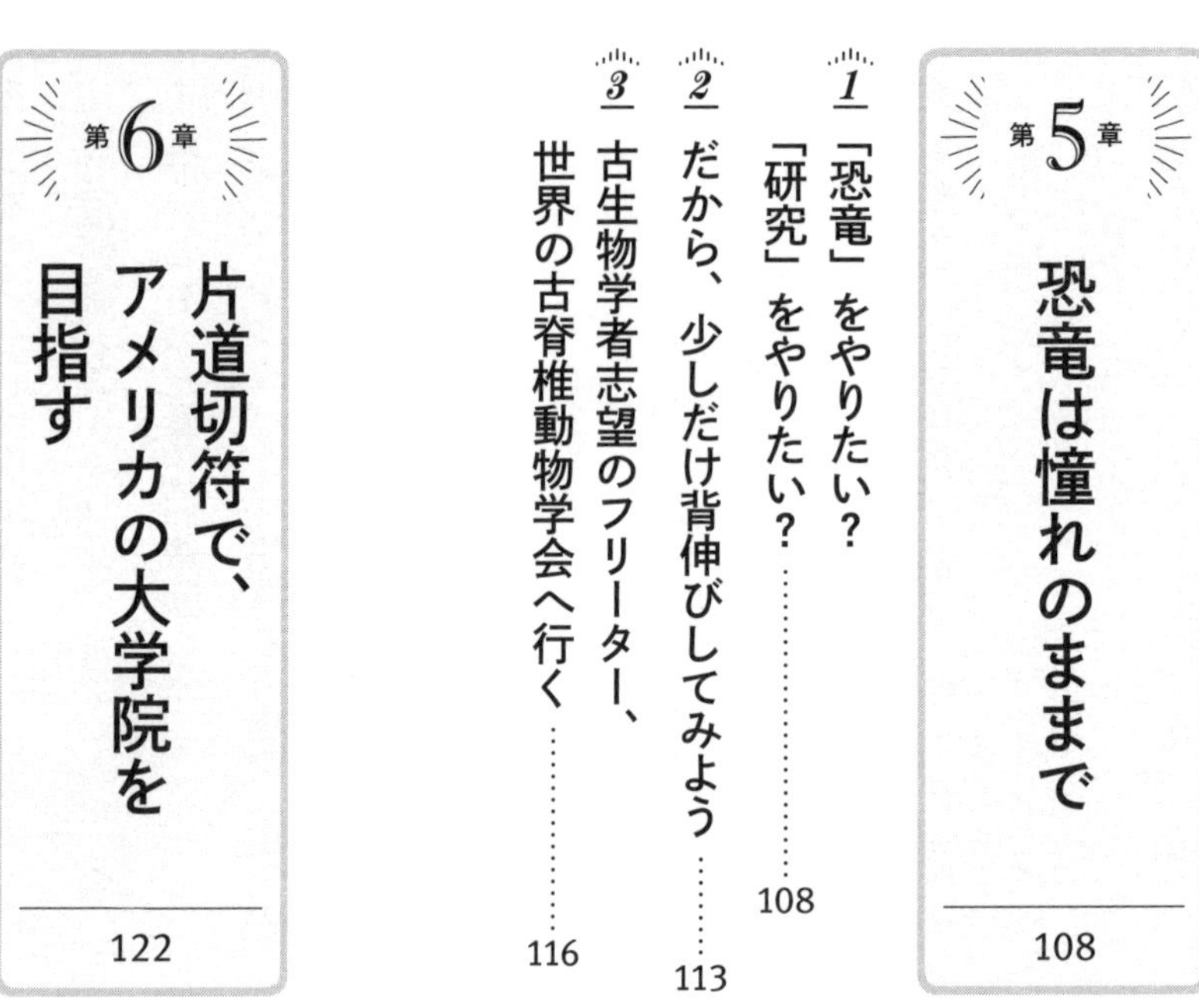

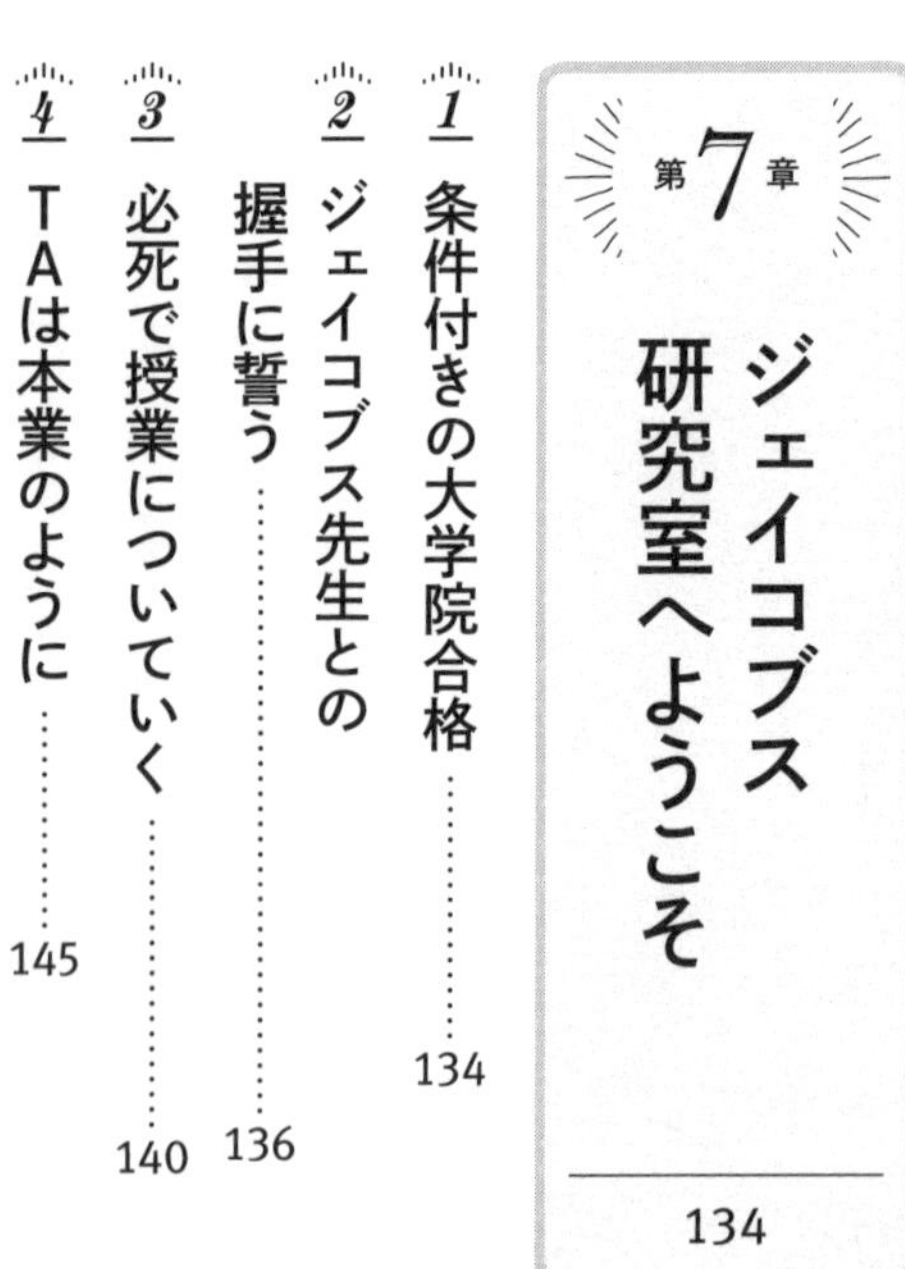

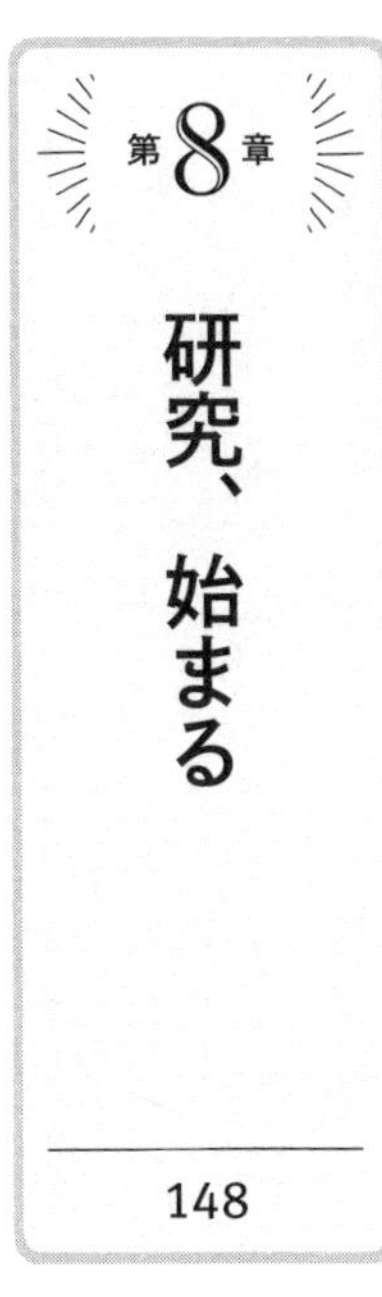
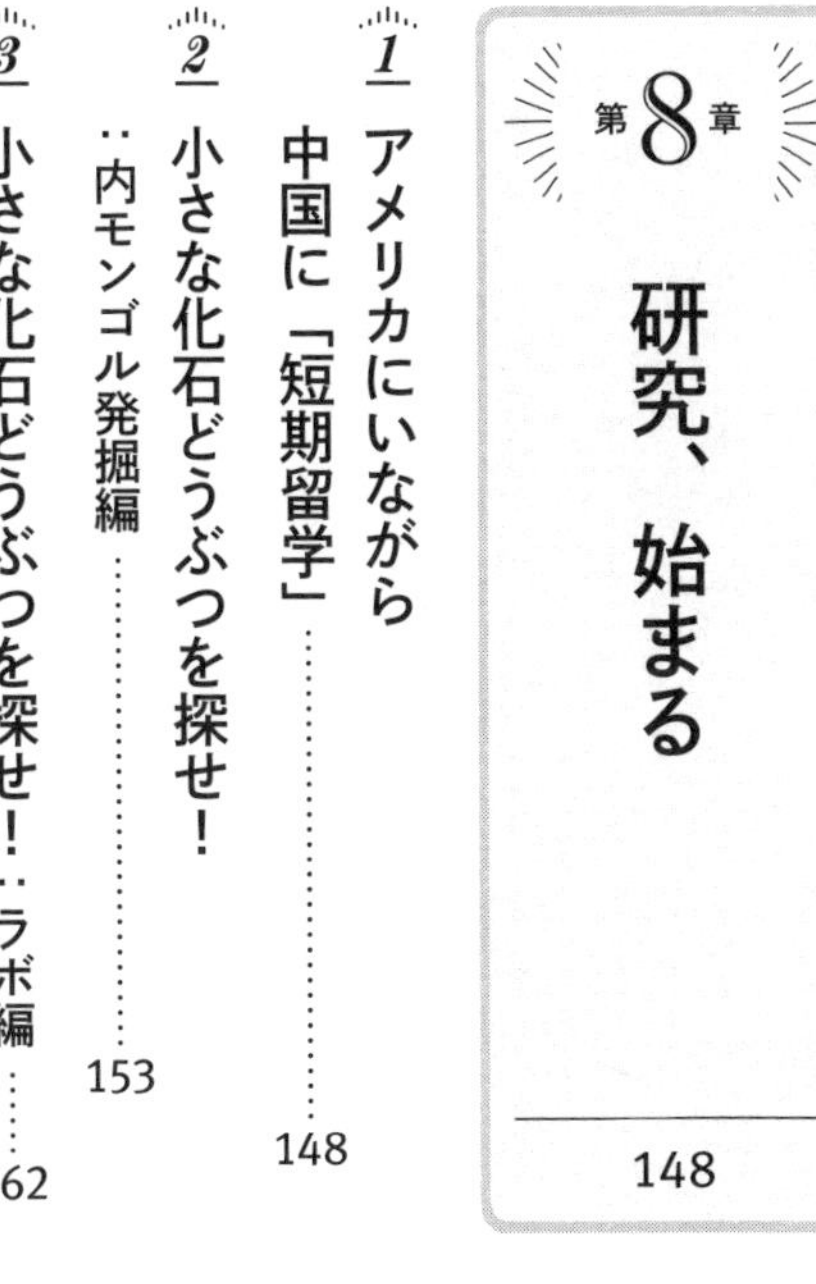

**この本を手に取ってくれた
小学生・中学生のみんなへ**

この本には、小・中学校で習わない言葉も出てくるので、もし難しいと感じたら、思い切って読み飛ばしてしまおう！　まずは「夢を追う」ということ、そして「研究する」ということを感じとってもらえたらうれしい。そして、いつかの未来に、「もがいて、もがいて」手に入れたいものができたら、この本のことを思い出して、また読んでもらえたら、最高だ。

第0章 古生物学者になりました

私は古生物学者。東京は上野にある国立科学博物館（以下、科博）が私の勤め先で、小さな哺乳類の化石を研究している。とは言っても、科博の研究施設は上野から1時間ちょっとの茨城県つくば市にあり、主な勤務地はここ。

まずは、私のお気に入りである研究施設の屋上から紹介したい。目の前にどーんとそびえるのは日本百名山のひとつ、筑波山だ。つくば市は関東の平野部にあり、田んぼが広がる平たい地形。そこにドシッと構える筑波山は、百名山のなかでイチバン標高が低いといえど、雄大である。
標高が低くてもイチバンならいいね。ビリのイチバンなんだもん。

「西の富士、東の筑波」といわれるように、筑波山は関東平野部に暮らす人にとっては昔から心の拠り所であったようで、私が好きな百人一首の句「筑波嶺の峰より落つる　男女川　恋ぞつもりて　淵となりぬる」はここで詠まれている。この絶景をひとり占めできる科博の筑波研究施設の屋上は、すごく贅沢な場所だと思う。

ん？　なにか臭ってきた。
そうそう、言い忘れてしまったのだが、ここには実験ドラフトの排気口があるので、「研究施設らしい」臭いがすることがある。

それでは、そろそろここを離れて、私の研究室にお連れしよう。
ドアを開けて右手の壁は天井まで続く本棚で、私のジブン図書館だ。

左手には、もう少し幅広い天板のアングル棚があり、研究で使う消耗品を置いている。棚にはまだ余裕があるので、物が増えてもしばらくは困らないだろう。真ん中にはテーブル。ここで標本の登録作業をする。足元に「転がっている」化石は登録途中の大事な標本なので注意して歩いてほしい。奥の棚はハンマー、タガネ、長靴、リュックなどの野外調査用具（フィールドグッズ）を置く場所。最近、これから長く使うことを考えてちょっといいグッズを揃えたから、ここを見るとニンマリだ。そしてその奥に私の机。背を向けるように顕微鏡を配置している。

標本を観察している時間が最高に幸せ。飲食しながら標本を触らないことをルールにしているので、大好きなコーヒーは終わったあとのお楽しみにしよう。顕微鏡で堆積物を注意深く見つめ、ピンセットではじきながら、砂粒か化石かを判断していく。数時間ほど作業をしていると、哺乳類の歯の化石が見つかった。小さな化石だけど、複雑な形をしていて、本当にかっこいい。この歯化石の持ち主について調べることが、私の研究のひとつである。

博物館の研究員としての私の主な仕事は、標本の管理（化石の標本化、データベース作成作業、研究や展示のための貸出など）、展示、教育普及関連、そして研究活動である。博物館の展示室でトークをしていない時は研究ばかりしていると思われがちなのだが、研究以外の仕事も実は多い。研究ができるのは、週5日間の勤務時間のうち、平均してだいたい1日くらいだろうか。

朝出勤すると、受信トレイにはすでにたくさんのメールが届いている。苦手な事務書類についてだとか、研究者との議論、来館者とのスケジュール調整、展示の監修、校閲（こうえつ）、お客さんの質問などなど。お昼すぎまでに、メールチェックとそこから派生（はせい）する仕事が終われば、御の字。お昼すぎて、17時に終業時刻のチャイムが鳴るまでは、標本整理、実験、分析、飼育しているネズミたちのお世話。そこから19時までに、研究動向をチェックしたり、論文査読（さどく）や学会業務、そしてまたメールをチェックする。時差の関係で、夜になると英語のメールが増える。

ここで働き始めてからあっという間に5年の月日が流れ、忙しさにもようやく慣れてきた。

さて、今日は少し時間があるので、恐竜博士になりたかった私が哺乳類の古生物学者になるまでの道のりを少しお話ししよう。

そうそう、私のところで働いてくれている敏腕（びんわん）助手さんたちもこのストーリーに副音声として参加してくれるようだ。キャッキャッと、はしゃいでいる二人の姿が想像できる。

校閲
文章に、事実関係の誤りや不備がないかを確認すること。

査読
学術誌に投稿された論文を同分野の専門家が評価・検証すること。論文が掲載される前に行なわれる。

はじめまして、ヤギシタです。新発見のお手伝いをするのが面白くて研究補助のパートをしています。難しいことはわからないけど、科博での毎日が大好きです。

はじめまして！　木村先生の研究室でアルバイトをしているスズキです。大学院で古生物を研究していて、先生のところでは化石標本の登録と研究補助をしています。

第1章 きょうりゅうはかせになりたい

1 きょうりゅうだいすき

恐竜が好きだ。

いつから好きだったかは覚えていない。気づいた時には好きだった。

ただ、ずっと記憶しているイベントがひとつある。1990年に幕張(まくはり)で開催(かいさい)された「大恐竜博'90」である。

私は父の転勤に合わせて、小学1年生の時に神奈川県川崎市に移り住んだ。東京ディズニーランドがオープンして7年目。ディズニーランドならもう行ったよ、というのが、東京圏に住む子供たちのステータスになっていた時代だ。だから、「せっかくこっちに引っ越して来たんだから、ディズニーランドに行ってみようか」と言った母の言葉は、幼い私をとても喜ばせた。そして、ディズニーランドがある舞浜までの2時間ほどの電車の旅の途中で、幕張で大恐竜博が開催されていることを知った。

その日の予定を変更したのか日を改めたのかはどうしても思い出せないのだが、このようにして、ディズニーランドでは将来研究の対象となるネズミ亜科の人気キャラクターに出会い、大恐竜博にも足を踏み入れるチャンスを得たのである。

大恐竜博'90の思い出写真。一生の宝物にすると決めたスタンプブックは今でも大事な宝物。

この大恐竜博は、１９９０年の夏に千葉県の幕張メッセで開催された展覧会で、「カナダ・アルバータ発、恐竜の奇跡。」と銘打たれたサブタイトルがついていた。恐竜化石産地として知られるアルバータ州ドラムヘラーにはロイヤル・ティレル古生物学博物館があり、ここの化石がたくさんやってきているという。なかでも目玉はティラノサウルス。大迫力の全身骨格のほかに、実物大模型も来日した。

大きな会場には、恐竜化石をひと目見ようとたくさんの人が押しかけていた。そしていよいよ入場するというところで、チャック付きの袋に入れられた小さな石のかけらをもらった。それはものすごく古い時代の化石で、確か１億年前のものだったと思う。ドラムヘラーは中生代白亜紀後期の地層が広がるところなので、もしかするともう少し新しい時代のものだったかもしれないが、ここでは幼い記憶のままでいこう。

開いた手のひらの上に、石のかけらを載せてみた。そしてしばらく眺めていると、今までに体験したことのない不思議な感覚に包まれるのを感じた。

白亜紀

中生代は古生代に続く地質時代区分で、白亜紀はその3つある区分の最後の時代。白亜紀後期は約1億年前〜約6600万年前。

「時が、止まってる」

1億年も前に時を止めた、かつての生物の痕跡。そして、うすい皮膚を介したその下では、今を生きる私の血液が絶え間なく流れている。

まるで時間を旅しているような気持ちになった。

この不思議さこそが私の原点で、「数億年の時間の旅」から戻って来る頃には、恐竜のことがもっと好きになっていた。

この石のかけらは残念ながら失くしてしまったのだが、スタンプラリーのミニブックは今でも大切に持っている。

2 ジュラシック・パーク

さて、大恐竜博ではもうひとつ印象的だったものがあった。ティラノサウルス化石のクリーニングブースだ。防塵（ぼうじん）マスクと防音ヘッドセットを着けて、エアースクライバーを手に母岩（ぼがん）から化石を取り出していく様子がとてもかっこよく、自分もやってみたいなと思った。

本やイベントのなかの世界だと思っていた古生物学者や古生物を取り巻く職業が本当に存在するお仕事であると知ったのは、1993年に公開された映画『ジュラシック・パーク』を観てからだ。私は小学5年生になっていた。

今もシリーズが続く超人気映画なので、あまり恐竜に縁がなかった人でも、あの壮大なテーマ曲くらいは聞いたことがあると思う。この映画には数々の恐竜が登場するが、なかでも高い知能を駆使（くし）し群れで効率的に狩りをするヴェロキラプトルの姿は、これまでになかった俊敏（しゅんびん）な小型獣脚類（じゅうきゃくるい）という恐竜像を広く一般に

母岩
化石などの鉱物を含む岩石。

映画『ジュラシック・パーク』
アメリカの小説家、マイケル・クライトンが1990年に発表した同名のSF小説が原作。スティーヴン・スピルバーグによって映画化され、以降シリーズ化された。

普及させた。最新恐竜学の要素に、化石種のゲノム編集という近未来の遺伝子工学が盛り込まれたこの映画はそれほどのインパクトがあったし、恐竜大好き少年少女たちの恐竜談義の中心であった。

特に私の興味を強く引いたのは2つのシーンだ。ひとつはティラノサウルスがヒトを丸呑みにしてしまうシーン。ものすごく怖くて、映画館から帰ったその日は電気をつけっぱなしにして寝た。

そしてもうひとつは、病気になったトリケラトプスの病状を知るために女性古生物学者がトリケラトプスのウンチの中に手を入れるシーンである。ブラシで地層表面をきれいにしながら慎重に化石を掘り出していくシーンも印象的であるが、絶滅した動物を今現在生きている動物のような目線で研究する古生物学者の姿、そして何よりも女性でもこういう研究をすることができるということに、強く心が揺さぶられた。

いつか、こんな仕事をしてみたい。

恐竜への秘めた想いが、私のなかで膨らんでいった。

3 どうしても、数学が苦手

恐竜を勉強したいのなら、まずは基礎的な勉強ができないとダメだ。それが中学生の私が出した結論だった。

というのも、『ジュラシック・パーク』があまりに面白かったので原作の小説をおねだりしたのだけど、翻訳された日本語のものですら難しくて全然ページが進まない。最初は吹き替えで観ていた映画も字幕付きのオリジナルで観たいと思うのだが、文字を追わなければ内容が全くわからないのである。小説を読むには国語が大事だし、映画の中の古生物学者たちの会話を知るには英語を勉強しなくちゃいけない。さらに、そこには遺伝子操作や解析などといった生物や数学の難しい話が出てくる。何より、研究がしたかったら大学に進学する必要があるし、大学の前には高校に行かなくちゃいけない。結局は目の前にある授業科目から逃げちゃいけないということになる。

それからは、学校の勉強も、塾通いも、一生懸命に頑張るようになった。私は特に数学が苦手だったが、恐竜のためだ、そんなことも言っていられない。

「テストで90点以上取るぞ」とか、「クラスで3番以内に入るぞ」といった目標なら目指しやすいし、ここまでやれば手が抜けるという加減もつかめてくるものであるが、「恐竜を勉強するために勉強するぞ」というのは、目指す先が遠すぎてどこで手を抜いていいのかもわからないし、というか、手を抜いてしまってはいけない気がした。

さあ、そうなると迷惑をこうむるのは同じ塾に通う仲良しの友達である。塾では定期的に行なわれるテストの点数で席順が決められていた。成績の良い子から前のほうに座るのだ。数学が得意だった里ちゃんは私のはるか前方にいて、私はそんな里ちゃんの後ろ姿を視界に入れながら、必死に数学を勉強した。週末になると、里ちゃんが起きる時間に電話をかけて、宿題の解き方を教えてもらった。

なんとか上位クラスで勉強することができたのは、週末も私の勉強に付き合ってくれた里ちゃんのおかげである。しかし私の数学オンチはこの後も続き、里ちゃんとは大学受験のための予備校まで、長い付き合いとなった。

4 ゴンドワナの恐竜、高校1年生での出会い

高校は日本女子大学附属高校に進学した。日本で初めて、女性のための高等教育機関として設立された日本女子大学の附属高校だ。

当時、附属高校では9割ほどの学生が内部推薦で日本女子大学に進学しており、大学受験というストレスから解放された伸び伸びとした自由な校風が、とても気に入っていた。一方で、進学校と比較すれば授業カリキュラムがゆっくり進むので、日本女子大学以外に進学することを希望する場合は早々に受験モードへと気持ちを切り替えないといけなかった。遅くとも2年生の初め、できれば1年生の終わりまでには決めておいたほうがよいという具合だ。

高校生といえば、中学時代とは比べものにならないくらい行動範囲も広がって、遊びもたくさん覚え、肌は水を弾きまくるほどハリツヤがあり、なんてことないことが死ぬほど面白いと感じられる「人生最強」の時期である。できれば大学受験はしたくないというのが本音だ。であるから、進路の第一候補が日本女子大学

であることは、至極自然なことであった。日本女子大学には理学部があり、そのなかには物質生物科学科がある。もしここで恐竜や古生物を勉強することができれば、わざわざ大学受験をする必要がない。

さて、ここで考えなければならないことは2つだった。

「物質生物を勉強したら恐竜博士になれる？」

「そもそも、ほんとうに、ほんとうに、大学で古生物を勉強したい？」

自分の気持ちがどこまで本気なのか、それを見極めるために、私は上野に向かった。ちょうどその年の夏、科博で「大恐竜展～失われた大陸ゴンドワナの支配者」が開催されていたのだ。ここで最新の研究成果に触れてみて、自分はそれを「見る側」で楽しみたいのか、あるいは「研究する側」になりたいのか、具体的に想像して考えてみようと思った。

科博は日本館と地球館の2つの建物からなり、常設展示とは別に定期的に開催される特別展は地球館地下1階の一角にある専用の展示室が使われるが、当時は地球館の建物ができたばかりで常設展示がまだ入っておらず、大恐竜展は常設展のスペースを利用して開催されていた。

エスカレーターで階を移動するだけでもドキドキし、気持ちが高揚（こうよう）したのを覚えている。そしていざ展示ホールに足を踏み入れると、初めて見る恐竜たちに圧倒された。これまで図鑑で数々の恐竜たちを見てきたけど、ここに展示されているのはカルカロドントサウルスやアフロベナトールなど、初めて名前を聞く恐竜ばかりだった。

「ゴンドワナ」とは、南半球にあった超大陸のことで、現在のアフリカ大陸、南アメリカ大陸、インド、オーストラリア、南極などからなる超広大な陸地である。恐竜の時代である中生代ジュラ紀後期、すべての大陸がくっついたパンゲアと呼ばれる超大陸が南北に完全に分裂（ぶんれつ）して、北のローラシア大陸と南のゴンドワナ大陸に分かれた。ゴンドワナ大陸の恐竜たちはローラシア大陸に生息する集団とは交わることなく、独自に進化していったのだ。

ジュラ紀
中生代の3つある区分のひとつ。約2億100万年前〜約1億4500万年前。

それまで私が図鑑などで慣れ親しんできた恐竜は欧米があるローラシア大陸の恐竜で、ゴンドワナ大陸は自分にとって全くの未知の世界だった。

「大冒険のような研究がこの先もありそうだ」

知らない世界がまだまだあることがわかって、やっぱり古生物を勉強してみたいと思った。

答えは出た。

問題は、どの大学に行けば古生物を勉強できるかだ。日本女子大学に進学しても古生物学者になれるのかという疑問を解決したい。

科博のボランティアさんにすすめられてその日のうちに科博の「友の会」に入会すると、大恐竜展に関連したイベント情報を探し、そこで科博の先生によるトークイベントが行なわれることを知った。そして、進路の相談ならトーク後の質問タイムで聞いてみてはとアドバイスをもらい、早速、大恐竜展の監修者でもある冨田幸光先生のトークイベントに参加することにした。

しかし、会場は人でいっぱいで子供が質問できるような雰囲気はなく、遠くから冨田先生を目で追うだけで、結局何も話せないまま帰宅した。そんな私の様子を察した母が、先生にお手紙を書こうと言ってくれた。母のその一言が、その後の私の人生を大きく変えることになった。

5 冨田幸光先生からの手紙

時間をかけてやっと完成させた手紙を丁寧にたたんで封筒に入れると、何度も何度も書き直したせいか、手がパンパンになっていた。ポストの前に立ち、手にした封筒を手ごと差し入れ、中でそっと離した。

どうか返事が来ますように。

ファクシミリ送信票

送信先：

日付：1998年9月22日

木村由莉 様

拝復

9月19日付お手紙拝見致しました。恐竜を勉強したいという人はたくさんおられますが、中々熱心で感心致しました。
まだ高1とのこと、まずは基礎勉強が大事ですから毎日の学校の勉強を第一に考えて下さい。

海外留学も選択のひとつとして充分考えられますが、いつ行くかが問題です。私のところへ相談に来た学生はすでに5～6人居て、ほとんどアメリカに行っています。うち2人はすでに博士号を終了しました。

手紙ではとても書いてられませんので、一度私の研究室に来てみませんか？

～中略～

私は間もなくアメリカに行きますが、10月7日から出勤します。それ以降に電話してみて下さい。都合さえ合えば、10月17日の土曜でも、あるいは平日でも授業後すぐなら、寄れるのではないでしょうか。

取り急ぎお返事まで。

草々

冨田幸光

6 決めた！　早稲田大学に行かせて！

冨田先生からファックスでお返事が届いてすぐに、お電話を返したように思う。そして面談日については、先生が出勤される7日の夜7時に再度電話をして決めることになった。約束の時間が近づくとどんどん緊張してきて、ドキドキが鎮(しず)まってからと何度も深呼吸するうちに、7時をかなり過ぎてしまった。それでもなんとか電話をかけ、面談日は10月17日午後2時に決まった。進路のことは高校生の私だけでは決められないので親と一緒に来るようにとのご提案があり、当時はまだ新宿にあった科博の研究施設に母とお邪魔(じゃま)することになった。

研究施設は、博物館とは全く違う雰囲気で、重々しい感じがした。冨田先生の部屋は長い廊下(ろうか)の奥にあり、整理中の標本が所狭しと並ぶなかを、間違っても唾(つば)がかからないようにと息を止めて歩いた。冨田先生の研究室には両壁にびっしりと論文と本が並んでいて、研究を仕事にするとはこういうことなのかと思った。

この日、冨田先生が教えてくれたことは、とても明快だった。日本女子大学には古生物の基礎となる地球科学分野を学べる環境がないので、自分で勉強をしなければならなくなること。それは、大学院で古生物を学ぶ道が必ずしも閉ざされることを意味するわけではないが、かなりハードな道になるということだ。

　そして、日本女子大学以外の進学先として、国内の大学からいくつか候補を挙げてくれた。東京大学、早稲田大学、愛知教育大学、鹿児島大学。実際、自分の興味のある学問を専攻するためにどの大学に行けばいいのかという問題は、それを専門とする先生がどの大学に研究室を構えているかということに大きく依存する。その先生が退職されれば、分野が引き継がれずに教室がなくなってしまうこともあるのだ。だから、以前は新生代第四紀の哺乳類化石を研究できた愛知教育大学も、アフリカの哺乳類化石を研究できた鹿児島大学も、今では脊椎動物化石を研究する大学として積極的に選べなくなってしまっている。代わりに現在では、私が高校生の時には選択肢になかった大学で古脊椎動物学教室ができているところもあり、北海道大学と筑波大学は、恐竜や海生哺乳類化石の研究基地として面

第四紀
新生代は、古生代、中生代に続く最も新しい地質時代区分で、第四紀はその3つある区分のうちの最後の時代。約258万年前～現在。

白い研究成果を発信している。

15歳の私には一人暮らしをすることは考えられず、自宅から通える大学となると候補はおのずと東京大学と早稲田大学に絞られた。冨田先生も、これらの大学を中心に話を進めてくださったと思う。

早稲田大学教育学部にはアンモナイトやイノセラムスなど白亜紀の海に生息していた古生物を対象とする研究室はあっても、古脊椎動物の研究者はいなかった。それでもなぜ、冨田先生が早稲田大学を候補に挙げたかというと、理由は2つあったようだ。まずは、私の雰囲気から察して、アンモナイト研究者の平野弘道(ひらのひろみち)先生の指導と相性がいいのではないかということ。そして、早稲田大学では骨の勉強はできないかもしれないけれど、科博の新宿分館とは近い位置にあるので、授業の合間に冨田先生の研究室で骨の勉強をすればいいというのが、先生のお考えだった。

冨田先生から、「早稲田大学に合格することができますか」と訊(き)かれたので、

「そうします!!」と答えた。早稲田大学に行くことができれば、夢に近づける。わかりやすい目標ができたことが、すごくうれしかった。

「早稲田大学を受験させて！　そのために予備校に行きたい!!」

　自宅に帰ると、聞き漏らしがないようにメモしていた内容を丁寧に清書して、その紙に先生からもらった名刺を挟み、資料ノートとして新聞のスクラップ記事とともにファイリングをした。もちろん、先生からもらったファックスや自分の手紙もそこに差し込んだ。もう二十年以上も前の出来事であるのに細部まで詳細に書けるのは、このファイルのおかげなのだ。ファックスの感光紙の文字は色あせてしまって、今ではほとんど文字は判別できない。母の助言でコピーを取っておいたのは正解だった。このファイルは私の一生の宝物で、今も研究室の一番取り出しやすい棚にしまってある。

　ちなみに余談であるが、私の父は一般企業勤めのサラリーマンであるので、これから続く授業料地獄に目眩がしたらしい。給料だけではまかなえず貯金を切り

この時代はまだメールが一般的ではなかったですよね。データも紙もいつなくなるかわからないので、大切なものはきちんと保存しておきたいですね。

崩して生活をしていた時期もあったという。腹をくるという瀬戸際の陣構えが功を奏すこともある。このあと、父は家族の誰も予想できなかったほどに出世していくのだから。

7 附属校からの受験

さて、目指すべき進路が決まったところで、勝負はこれからだ。

受験第一の進学校と違い、附属校は授業カリキュラムが「通常通り」に進む。おかしな話であるが、これだと高校の授業だけでは大学受験に間に合わない。まだ高校1年生の冬なので、ほかの進学校の生徒とそれほど差がついていたわけではなかったが、不安はあった。ただ、古生物学教室のある早稲田大学教育学部理学科に必要な受験科目を調べてみると、少し希望が見えてきた。国立大学のセンター試験とは違って、必要な科目は数学、英語、理科（物理・化学・生物・地学から1科目選択）の3つだけ。つまり、この3教科に絞って進学校レベルのスピードについていけばいい。これならできそうな気がした。

早稲田大学教育学部以外の受験は考えていなかったので、その気持ちを一番く み取ってくれた城南予備校に通うことに決めた。学校と予備校の両立は、それなりに大変な時もあったけど、高校2年生まではなんとかこなせていたし、友達との遊びもほとんど断ることはなかった。私立大学の附属校に通いながら外部受験をするというのはかなり贅沢な話で、それを子供ながらに理解しているつもりだった。

でも、高校生活残り1年を切ったあたりから、次第に負担を感じるようになっていった。

クラスメートの多くは内部進学し、4月になれば晴れて目白の女子大生になることが約束されている。みんなが残りの高校生活を謳歌（おうか）するなかで、2月にならなければ進路がわからないという状況は、17～18歳の繊細な心には堪（こた）えるものがあった。

特に印象に残っているのは修学旅行である。多くの進学校では修学旅行は2年生の時に行なわれるが、日本女子大学付属高校では同時期には別のお泊まりイベントがあり、3年生時に修学旅行が組まれる。その頃、予備校の授業は大学受験に向けてスピードが加速しており、1週間も欠席すれば内容がわからなくなってしまうほどだった。修学旅行の日程は6日間。仲のいい友達とのお泊まり旅行は楽しかったのだが、どこか上の空なところもあって、思い出の写真を見るとどれも不安な表情を浮かべている。

ただでさえ苦手な数学の授業をこれ以上休みたくなくて、帰りの土曜日は新幹線を新横浜駅で途中下車し、その足で町田にある予備校に向かった。予備校が終わって帰宅すると、すでに夜10時を過ぎていて、優しく迎えてくれた母の顔を見た途端、授業はわからないわ、せっかくの修学旅行も楽しめなかったわ、なんでここまでやらなくちゃ古生物の勉強にたどり着けないのか、ぐちゃぐちゃな感情のまま自分でもびっくりするくらい大泣きした。

そのうち、高校と予備校への力の注ぎ方が逆転するようになってしまった。勉強が深夜にまで及ぶようになると翌朝は起きるのがつらく、ちょっとの遅刻ならよいほうで、2限目が終わる頃に席に着くこともあった。なんとか夏期講習を乗り切り、高校生活も残り半年となったあたりからは、だんだんと学校から足が遠ざかり、出席日数はギリギリとなった。2限目にも間に合わないとわかると、予備校とは反対側にある学校に行くのが面倒くさくて、そのまま予備校の自習室に向かった。当然、受験科目以外の学校の成績はみるみる落ちていった。

それでもなんとか赤点を取らずに卒業することができたのは、テストの前になると友達が授業ノートをコピーさせてくれたり、自身の勉強のためにまとめた授業内容をファックスで送ってくれたりしたからだ。学校に遅刻したり、サボって予備校で自習していたことは両親とも気づいていたはずであるが、見て見ぬふりをしてくれていた。先生から怒られた記憶もない。附属校だからこそ温かく見守ってもらえた。競争の世界が苦手な自分が大学受験のための勉強を続けることができたのは、予備校と附属校のオン・オフの切り替えがあったからで、進学校に通っていたら途中でつぶれてしまったのではないかと思う。

8　苦手な数学は克服せずに

いつまで経っても、数学は大きな壁であった。授業を聞いて公式を理解したつもりでいても、それを組み合わせて応用する問題は解けない。解答と解を導くための途中演算（えんざん）を見て理解できればまだいいほうで、見たところで全くわからないこともあった。クラス分けのテストではギリギリ上位クラスに入り込むのであるが、早慶コースは自分には厳しかった。

学校が終わればすぐに予備校に行って、授業が始まるギリギリまで自習室にこもって前の週の復習をして授業に臨（のぞ）む。それを毎週繰り返した。それなのに偏差値はずっと平行線。まわりも同じくらいのレベルで上がってきているということだ。自分なりに頑張ってきたが、限界を感じるようになった。どう足掻（あが）いても、早稲田大学のレベルに達しない。

一方、英語に関しては受験レベルの難易度（なんいど）もすんなり受け入れていた。『ジュラシック・パーク』の英語の原作を読みたいというモチベーションがあったので勉強することがとにかく楽しかったし、文法もパズルのような遊びの感覚しかなかった。読解問題も国語ほど難しくないから頭を悩まさずに済むし、テスト時間を苦に思うことはなかった。気合を入れないと教科書を開くことができない数学とはえらい差である。電車の中や寝る前のベッドの上などの隙間時間を使って勉強した。全国模試10位以内なんていう猛者には遠く及ばないが、それでも予備校の掲示板で自分の名前を見ることも珍しくなかった。

ただ、一般的な受験では理系の英語は文系の英語よりも難易度は低い。つまり、英語が得意なことは理系の受験においてはあまり有利とは言えなかった。

「英語がこの成績なら、行けるかもしれないぞ」

予備校のアドバイザーから言われたこの意外な一言は、折れそうな私の心をギリギリでつなぎとめた。なんでも早稲田大学教育学部理学科の場合、英語は教育学部共通の試験問題になるので難易度が文系並みに高いという。つまり、多くの理系学生はここで点数を落とすのだ。そして、受験に必要な理科の選択科目は理工学部と違って1つだけだから、数学のような計算問題がある物理を避けることができた。早稲田大学では総合点数のみが判断され、各教科に足切りとなる点数は設定されていなかったので、数学（と物理）で落とすであろう点数を、得意の英語でカバーしやすいということだった。

全てのことを完璧にできる必要はなく、苦手を得意でカバーできればいいということを早い段階で教わったことは、その後の大学受験の戦略に大いに役立った。この教訓は、研究を通じた人とのつながりということに応用して、今でも大事にしている。

9 大学不合格

早稲田大学の地球科学専修に合格するには合計150点満点（各科目の配点は50点）のうち、最低100点は取る必要があった。倍率は例年8倍くらいなので、自分を中心に右隣り4人と左隣り3人を合わせた8人のなかで自分の成績が最も良ければ合格するようなイメージ。かなりハードルが高い。

数学は大きな設問が4つあり、数学Ⅲと数学Cで習う微積分と極限が最重点分野であった。過去問題を解いてみると、半分できればかなりいいほうで、半分もできないことのほうがはるかに多かった。

予備校のアドバイザーは、それを踏まえて自分流で合格を目指せと言った。つまりこうだ。仮に、数学で3割の点数しか取れなかったとする。それでも、英語で9割、化学で8割を取れば、最低点で合格することができる。最低点でも合格は合格だ。

とはいえ、現実はなかなか厳しい。英語も化学も7割を確保することはできたが、それ以上となると調子のいい時と悪い時でアップダウンがあった。これでは合格はできない。事実、模擬試験の合格可能性判定はDかCで、とても合格を狙える感じではなかった。勉強時間も日増しに長くなり、受験が数か月後に迫った秋からは食事と睡眠以外は常に勉強していた。学力の伸びも勉強に向かう体力も限界であることには気づい

ていた。だから、古生物学を目指すのは現役のこの1回だけ、そして本命受験は早稲田大学だけに絞った。

2月。いよいよ受験当日を迎えた。

カギは、数学の私が5割のラインにどこまで近づけるかだ。それさえできれば、英語の私と化学の私がカバーする。バトンをつないでいくリレー競走のようなイメージで試験に臨んだ。科目順は確か、化学↓英語↓数学だったと思う。化学は緊張してしまい時間配分がうまくできず、最後の数問までたどり着くことができなかった。英語はまあまあできた気がする。化学7割、英語8割程度は安パイといったところだ。まだ合格は狙える。数学が5割に届けばよい。

数学の問題を開く時は手が震えた。ざっと問題を見てみると、3問目の区分求積法の問題は解ける気がしなかったし、4問目も相当な難易度でこれも無理。問題を解く前から早速パニックだ。だんだん冷静さを取り戻していくも、数学の壁はどこまでも高かった。120分あったテスト時間はかなり余ってしまい、とてつもなく長く感じた。5割のラインには届かなかった。終わった。

回答用紙が回収される時には唇の裏を噛(か)んでなんとか泣かないようにしたが、建物から出て、付き添いで来てくれた母の顔を見ると、もう涙声になっていた。

「できなかったよ」

母は、「まずはご飯を食べないとね」と言って、新宿中村屋に連れて行ってくれた。ご飯を食べて落ち着いて、母娘二人ともよく頑張ったよねと言って泣いた。

後日、合否結果を電話で聞いた。不合格だった。

10 不合格から超絶怒涛の大どんでん返し

早稲田大学不合格。きっとそうだろうとは思っていたものの、2年ちょっと頑張ってきた結果を事前に録音された定型文として聞くのはつらかった。落ち込んでいた気持ちに寄り添ってくれたのは仲のいい友達で、本当にいっぱいサポートしてくれて、恵まれた大学受験だった。本命の早稲田大学は落ちてしまったので、

練習と思って外部受験した日本女子大学に進学することにした。進路の相談にのってもらった冨田先生に直接ご報告しに行くと、日本女子大学でも新宿分館から遠くないのだから、勉強したい時にいつでもいらっしゃいと温かい言葉をかけてくださった。社交辞令が一切ない強い言葉であったので、まだ諦めなくてもいいんだと安心し、日本女子大学に通うことも楽しみになってきた。

高校最後の行事である音楽祭も終わり、無事に卒業式を迎え、その翌日から友達とロサンゼルスへと卒業旅行に出かけた。

その知らせは、到着した日の夜、ホテルで聞くこととなった。

ひとしきり遊んで、夜、ホテルに戻ると、待ち構えていたように電話が鳴り響いた。「えー、どこから電話だろう」と言いながら友達が電話に駆け寄り、受話器をとる。「Hello……、はい、はい、こんにちは」。私はこの時、まだ部屋の入り口にいたと思う。そして「うそ。ほんとうですか」と、その声が涙声に変わったのを、少し心配しながら聞いていた。日頃はクールなその友達が感情的になっている様子に、よっぽどの電話がかかってきたのだとすぐにわかった。そして、受話器から耳を離し、私に向かって、声にならない声でこう叫んだのだ。

「ゆり、受かったんだって。早稲田！　早稲田合格だって」

はっきり聞こえた。

早稲田大学合格⁉

そんなはずはない。早稲田大学は補欠合格者を出さない。早稲田大学はもともと定員よりも多くの合格者を出す。東京大学などの超難関校を第一志望とする受験生が多く流出した場合にも、一定数の入学者を確保するようにしているためだ。

ただ例外はあって、どうもその流出が激しすぎると特別に追加合格を発表することがあった。その異例度はすごく、赤本を見る限り、「全学部合わせて4年に1回くらい、しかも1学部だけで起こりうる程度」の頻度なのである。

電話の主は私の母だった。早稲田大学の事務室から自宅に追加合格の知らせが郵便で届いたそうだ。電話の音量を最大にして、母と会話しながら、みんなで泣いて、そして喜んだ。大好きな友達とロサンゼルスという場で最高のお祝いをすることができた。

2001年、その年は地球科学専修に1150名が受験した。そのうち追加合格を含む合格者数は119名。倍率は9・7倍。2000年からの5年間で、早稲田大学が追加合格を出したのは2001年の教育学部のみ。私が受験したその年だ。それも10専修ある教育学部のうち、地球科学専修を含む5専修のみだった。そのなかに入ることができたのだ。

母は合格を知らせるために、何度も何度もホテルに電話をかけてくれたようだ。当時は海外にいる相手に携帯電話をかけることはできなかったから、国際電話のオペレーターに何度もつなげてもらったらしい。母は私の全力応援団長で、ここというタイミングで欲しい言葉をくれた。そして友達の力はとてもとても大きかった。

恵まれた大学受験は実を結び、古生物を学べる日がもう目の前に来ていた。

映画『ジュラシック・パーク』(1993) のロケ地であるハワイ・オアフ島のクアロア牧場にて、高校時代の友達と。博士課程に入った頃。筆者は前列左から2番目。

第2章 恐竜にみちびかれて

1 ビリから一歩一歩の4年間

古生物を勉強するためのスタートライン。この第一歩を踏み出すために、精一杯の背伸びをしてここまで頑張ってきた。この受験が身の丈に合ったものだったのなら、もっと楽だっただろう。そうじゃなかったから大変だった。そうじゃなくても、ここまで来たんだ。

目的の教室があるボロボロの6号館には大学独特の威厳があって、ドアノブをひねる手は緊張で震えた。地球科学専修は1学年40名程度の小さな専攻であるので、高校の教室と同じようにクラスメートの顔が見渡せる。このなかで、自分がビリ。それを自覚すると、人一倍努力しなければと思えた。

大学の授業は高校までと違い、学生にわかりやすく教えることを目的としていない。その分野に必要な知識を先生が提示し、どう吸収するかは学生次第だ。

地球科学の面白さのひとつは、授業で習ったことが基礎となって、野外(フィールド)で本当の学びが始まるところだろう。地層の方向や傾きだって、黒板で習っている時には簡単に思えたが、実際にフィールドに出ると、どこを測ればいいのかなかなかつかめなかった。火山灰をヒントにしながら自分が今どの地層を見ているのかを目線で追い、歩きながら地層の方向や傾きを計測する。その情報を地図に落とし込むと、地質図の基礎となるルートマップがだんだんと出来上がる。自然が学びの場となるフィールド実習は、これから目指すべき古生物学者をイメージするのにもってこいだった。

フィールドでのお楽しみは、泥んこになったあとの温泉とその土地の美味しい食事だ。先生も先輩もみんなこれを楽しみにしていて、普段とは違うプライベートな顔を垣間見ることができる。勉強なのに遊びっぽい。でも、遊びっぽさのなかで得た経験が、ひとつひとつ知識として身についていくことを実感した。フィールド実習から戻ると、教科書の内容が一層わかりやすくなった。この分野においてフィールドが何よりも大事であることに気づかされた。

幸いなことに、早稲田大学にはフィールドを愛する先輩がたくさんいて、授業の実習以外にも先輩のフィールドに連れて行ってもらえる機会があった。先輩が使っている道具を見て「今度のバイト代であれを買おう」と思ったり、車の免許を取りたいと思ったのも、自分の車でいろんなところに連れて行ってくれた先輩の影響

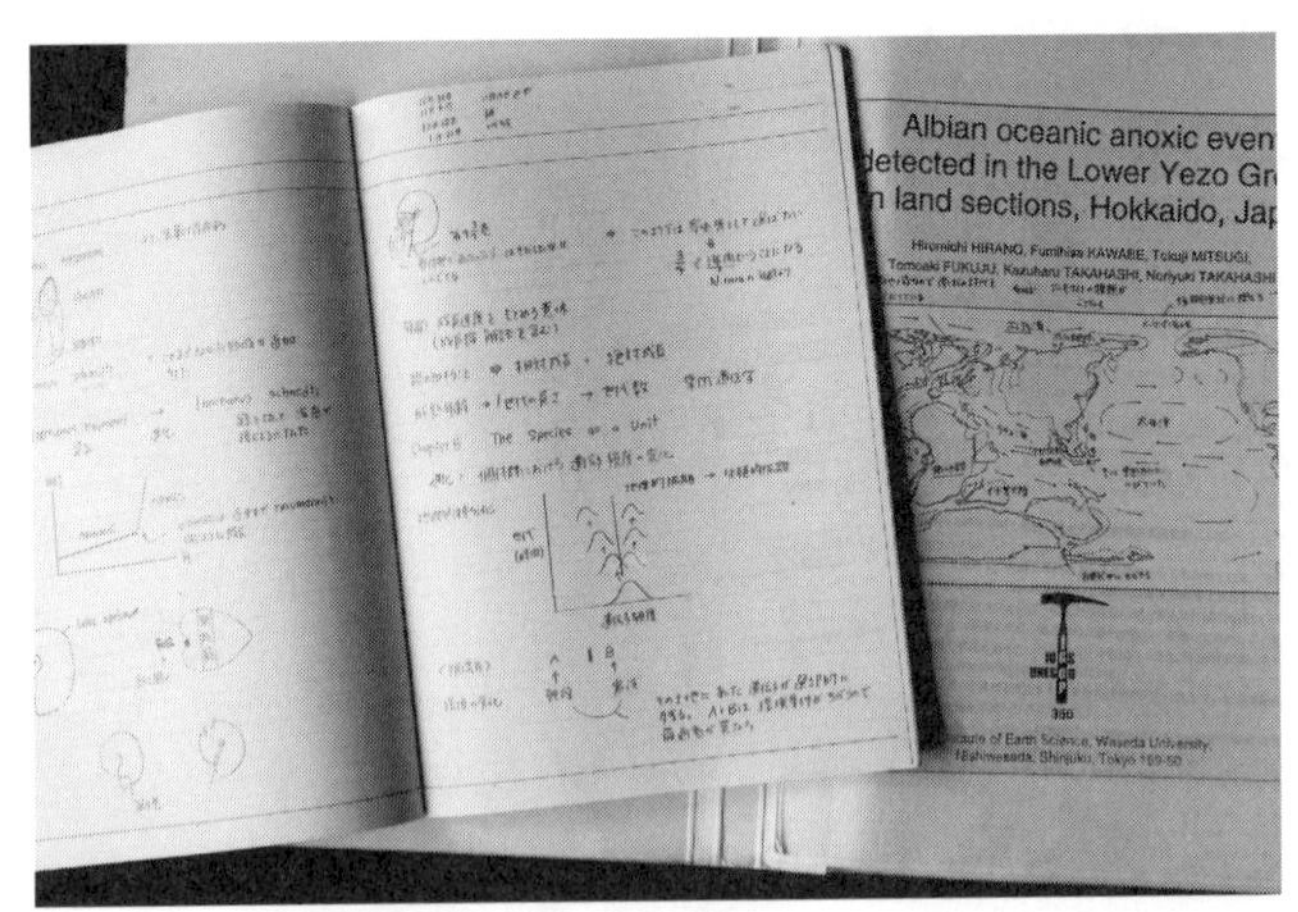

平野弘道先生の「古生物学」を受講した時のノート。アンモナイト研究室の学生らしさが残る。

だ。教科書だけでは得られない経験を積ませてもらった。そして、自分が進みたい分野が古生物学であることをきちんと認識した頃には、大学の成績はずいぶんと上位になり、希望通りに古生物の平野研究室に所属することができた。

フィールドは今も決して得意ではないが、研究のなかの大好きな時間のひとつである。

2 科博のアパトサウルス

大学に入ってすぐ、人生初のアルバイトを始めた。

高校時代に何度か訪れた、科博の新宿分館。門の前に立ち、フタバスズキリュウのレリーフを見つめる。そそっかしい自分に冨田先生のお手伝いが務まるのか、すごく不安だったけれども、大学生という立場でここにいられることがうれしかった。

履歴書を書いて指定の書類に記入して、未経験の大学生アシスタントが誕生した。先生が必要な論文を図書館でコピーしたり、文献検索できるようにデータベースを登録するのが私の主な仕事だった。冨田先生はコピーにものすごくこだわりがあり、文字列が用紙の縁と平行じゃないといけないし、ホッチキスを留めるための基準線から針が少しでもズレると、はい、やり直し。

私はホッチキスの位置なんて全く気にならないし、そもそも仕事をするということで、社会的にどういう責任が生まれるのかあまりわかっていなかったので、今思い出すとおっちょこちょいのダメダメアシスタントだったと思う。それでも、冨田先生が自身の仕事の負担を減らすためではなく、私にいろんな経験をさせるために雇(やと)ってくれていたことは感じ取っていた。チャンスは逃すまいと、バイトの日はひたすら先生のお話に聞き耳を立てていたものだ。いや、冨田先生は声が大きいので、聞き耳を立てなくてもお話は自然と聞こ

自分は今年で3年目ですが、古生物の専門性も必要としますし、自分の成果も見えてきて、とてもやりがいのある仕事です。

えてしまうのだけど。

それは、大学1年生の終わりが近づいたある日のことだ。ケンブリッジ大学のポール・アップチャーチ先生とオックスフォード大学のポール・バレット先生が来日された（いずれも当時の所属）。科博の地球館地下1階に展示されているアパトサウルスは1個体の実物化石で組み上がっている学術価値の高い標本とのことで、海外のトップ研究者をお招きして科博の先生と共同研究されることになったのだという。最前線の研究風景を見られる大チャンス。勉強としてその場に立ち合わせてもらえることになった。

古生物の研究で必要な記載には、ひとつの骨を四方八方から見られる状態であることが重要だ。現場では、冨田先生の指示のもと、解剖学的に意味のある方向（前面、後面、背側、腹側など）で骨化石を固定し、カメラマンさんが写真を撮っ

アパトサウルス

記載
骨の形態を観察し、種の特徴となる形態を描写すること。

ていた。軽快なリズムを刻む、カメラのシャッター音。その横では、アップチャーチ先生たちが骨の観察をしている。科博の真鍋真先生の研究室からも、東京大学の修士課程の学生が手伝いに来ていて、補助作業をしていた。

アップチャーチ先生は視力が弱く、パソコン画面に大きく映し出した文字を読むためさえも、顔をかなり近づけないといけない程度であった。そんな視野であっても、アップチャーチ先生の形態観察力と記載は古生物学者のなかでも群を抜く。それは標本に触れた時の手の感覚によって、形態を観察しているからだ。手の感覚は時に目よりも多くの情報を捉えるということを、強烈なメッセージとして学んだ。保存状態が良いといわれる化石でも、パーツごとには破損している箇所があるのが一般的である。欠けていたり変形していたりする化石から、体のどの部分なのか、そしてどちらの面が前方なのか、古生物学者はすぐに判断できる。自分もそうなりたい。そんなことを考えながら、後日、この日撮影された写真をひたすら整理したのであった。

ちなみに、この修士課程の学生さんは、現在、北九州市立いのちのたび博物館で研究員をされている大橋智之さんです。

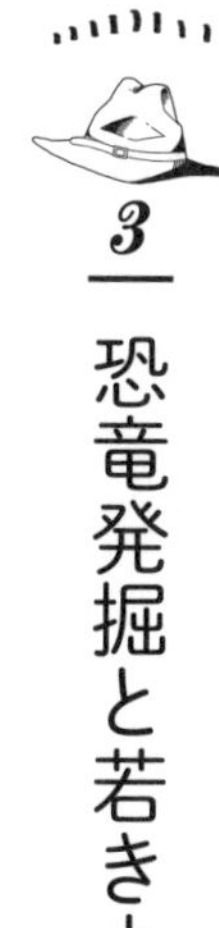

3 恐竜発掘と若き小林快次

富山県大山町教育委員会（当時）の藤田将人先生（現・富山市科学博物館）がいらっしゃった時、夏に富山で恐竜発掘を行なう計画があることを知った。そのために学生のアルバイトを募集するのだという。

「あのー、私を雇ってもらえませんか？」

研究者の会話に割って入るのはとても勇気のいることだったけれど、言葉にできてよかった。その年の夏、高速バスに乗って富山に降り立った。

富山市の南東に位置するおおやま地域（旧大山町）では、1億数千万年前の地層から恐竜化石などが多数見つかっている。1999年から本格的な発掘調査が行なわれるようになり、その指揮を2018年まで務めたのが、藤田先生だった。

発掘調査団には大学生から大学院生まで十数名が参加していた。同じご飯を食べ、相乗りの車で町の銭湯に行き、夜はお布団を敷き詰めて一緒に寝る生活がおよそ1か月続いた。それはそれは楽しかった。

昼はみんなで発掘を手伝い、夜は就寝までの時間をたわいもない話をして過ごした。時には将来の夢を語り合ったり、先輩から勉強のアドバイスをもらったり、酔っ払った姿を見て笑ったり。恐竜の足跡や卵のこと、地質調査に関する先輩の研究を座学で聞いたりもした。古生物の研究はチームワークで、仲間と一緒に築き上げていくものだということを知った。

発掘の現場では、岩石を切り出す最前線部隊と、小さな化石も見逃さないように切り出した岩石を小さくなるまで叩き割る後方部隊とに分かれて進められた。最前線部隊に配属された学生バイトさんは夕方になるとクタクタになって帰ってきたものだ。何回か覗かせてもらった現場では、夏の暑い時期に露頭から岩石を切り出すという危険を伴う作業をしていたので、ガタイの良い男性陣がクタクタになるのも納得だった。

女性陣はもっぱら後方部隊。ハンマーとタガネで岩石を叩き割り、現れた新鮮

露頭
地層の露出している場所。

な表面をじっくりと観察して、重要な化石があるか判断する。石炭化した植物片はキラッと光るので、歯の化石のようにも見え、「あっ、歯かもしれない」と意気揚々と顕微鏡を覗き、「あ〜、違ったかぁ」ということを繰り返す。打ち損なって手を叩いてしまうこともあったが、ちょっとした血豆も勲章のようだし、そのうちに効率よくタガネに力を加えられるようにもなった。タガネが岩石に入り込む際に鳴る深みのある金属音はたまらなかった。

発掘の休みの日に、福井県立恐竜博物館に連れて行ってもらった。学生はみんな行きたいものだから、車はぎゅうぎゅうだ。普段なら車酔いしてしまう私も、恐竜博のバックヤードに入

富山県の恐竜足跡化石群の露頭。富山市科学博物館には、露頭の精巧なレプリカが展示されている。後ろを歩いているのが筆者。（撮影：吉冨健一　2002年）

れるということで浮き足立っていた。

なんせ会いたい人がいた。研究者の部屋に入り、手前で自己紹介をしていると、奥のほうから体格の良いイケメン研究者が現れた。

小林快次(こばやしよしつぐ)先生だ!!

今でこそ超有名な小林先生だが、当時はまだまだ若手。しかし、アメリカ帰りで最先端の恐竜研究をしているということは冨田先生からいつも聞いていたし、先生の部屋に飾られているゴビ砂漠での発掘写真にも写っていたからすぐにわかった。

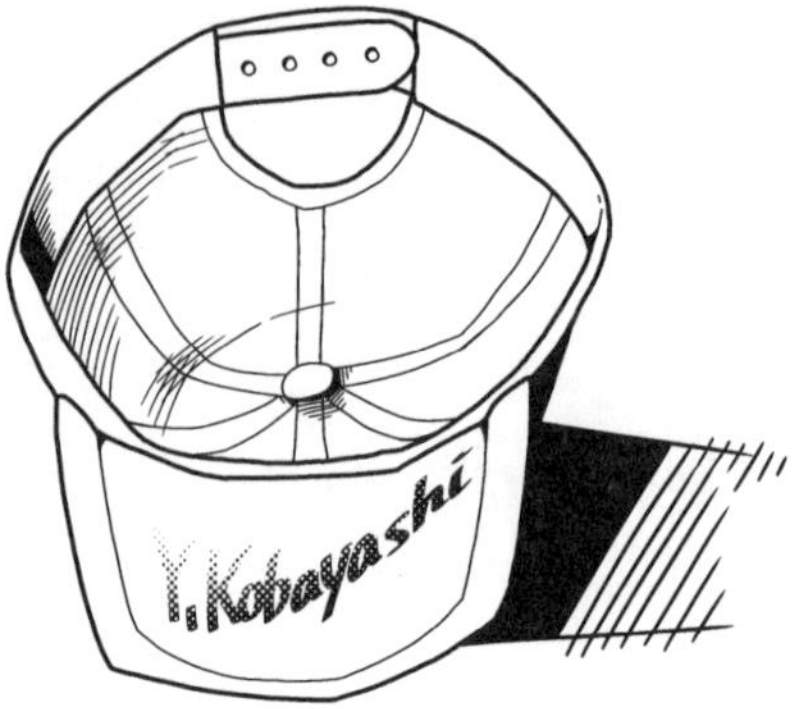

かぶっていた恐竜の帽子をくるっとひっくり返し、駆け寄った。
「はじめまして、木村由莉です。ここにサインしてください!」
大きな声の分だけ、大きなサインだ。
研究の話をしている小林先生を見て、すぐに憧れの存在になった。帽子のつばにKobayashiの文字。重みのある帽子を深くかぶり直して、恐竜発掘へと戻った。ハンマーを振るう手にも力がこもった。……が、結局最後の日まで恐竜化石を見つけることはできなかった。

恐竜発掘は大変だ。

4 熱がこもった骨化石集団

科博では、専門的な内容を研究者から直々に学べる、とても贅沢な講座が定期的に開催されている。応募者が多ければ抽選となるため、こちらが頼まなくても、志望動機をビッシリと書いて応募してくれる子もいる。古生物学や動物学の講座は今も昔も人気があり、参加者側だった当時の私も、ハガキの裏にそれはもう小さな字でビッシリと志望動機を書いたものだった。「どうか先生、私のハガキを手に取ってください」と願いを込めて、ハガキの縁を蛍光ペンでぐりぐり塗って派手にしたこともあった。

なかでも、骨化石を勉強したい学生にとって何がなんでも参加したい講座が、「古脊椎動物研究法講座」という、大学の集中講義さながらの3日間連続講義だ。科博の先生方が毎年順繰りで講師を務めていて、この講座はその前から、そして現在も続く科博の伝統となっている。

当然、講師陣の熱量も高い。十数人限定なので、そこに集まる学生はほとんどが、将来骨の化石を研究したいと思っている学生たちである。駆け引きのない青春がいっぱい詰まった学生時代、この講座を通じて知り合った学者志望の友人たちは、その後、最も強い絆で結ばれた仲間となり、そして最大のライバルになった。

当時の日本には、骨の化石を勉強できる大学がほとんどなかった代わりに、自分の研究時間を削り、有志の授業として、骨化石について教えてくれる大学や博物館の先生がいた。真鍋先生のインフォーマルセミナーや、東京大学（当時）の犬塚則久先生の骨ゼミ、古生物学の学生のためにワニの解剖セミナーを開いてくれた神奈川県立生命の星・地球博物館の樽創先生、千葉県木更津市での化石発掘にたびたび呼んでくれた千葉県立中央博物館の伊左治鎭司先生。群馬県立自然史博物館の髙桒祐司先生にもこの化石発掘で最初にお会いしたんじゃないかと思う。博物館のバックヤードに入らせてもらい、名前を覚えてくれた先生も増えた。そして、先生たちの先生でありフタバスズキリュウの研究に従事された長谷川善和先生には、ご自宅で鍋までご馳走してもらった。

こうして先生から先生へ、仲間から仲間へと少しずつつなげてもらっていたある時、恐竜の大きなイベントに裏方として参加させてもらえることになった。２００２年の夏に幕張メッセで開催された「世界最大の恐竜博２００２」だ。私は大学2年生になっていた。

巨大な竜脚類セイスモサウルスが来日することで話題になったこの展覧会には、１９９０年の大恐竜博を彷彿させる、かなり本格的なクリーニングブースが展示の一角に用意された。まだ小学生だった私が、恐竜熱に浮かされるきっかけとなったあの日。この同じ会場に設けられたクリーニングブースでは、ティラノサウルスの化石を母岩から掘り出す作業が行なわれていて、物々しいマスクと耳当てをして機械で何やら削っている様子を見て、自分もやってみたいと思ったことを懐かしく思い出した。

100万人以上の恐竜ファン、古生物ファンを魅了したこの展覧会に、スタッフの一人として裏側から入るだけでもすごいことなのに、なんとその化石クリーニングのアルバイトをさせてもらえることになり、それはもう大興奮で作業にあたった。熊本県の御所浦白亜紀資料館の先生方が中心となった少数精鋭チームで、硬い岩石から化石を掘り出すクリーニング作業の経験がある大学生と大学院生が集められた。作業

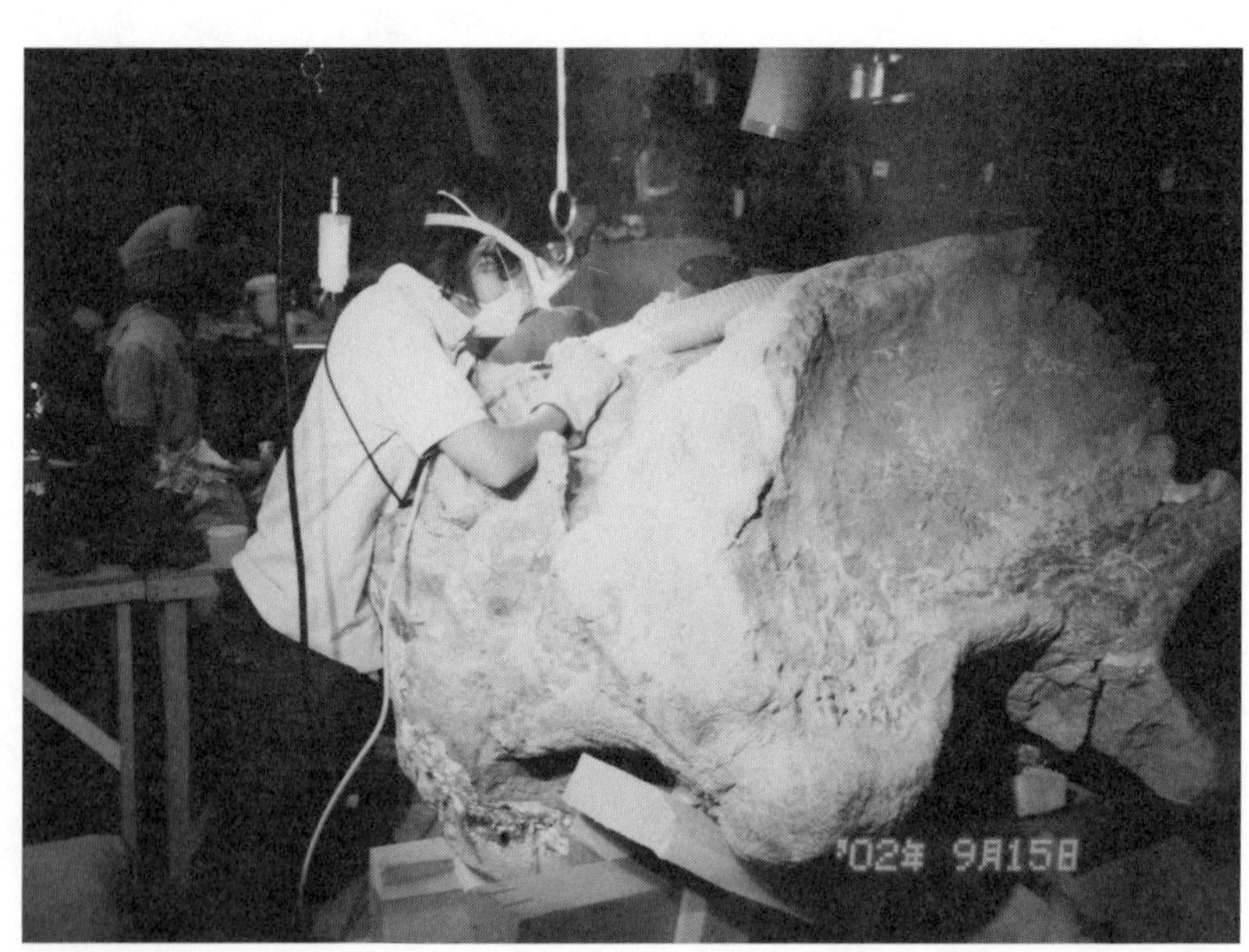

恐竜博2002のクリーニングブースでセイスモサウルスの骨盤をクリーニングする筆者。大恐竜博'90と同じ幕張メッセで、夢みたいな時間を過ごした。

内容は、セイスモサウルスの骨盤と御所浦層群産の鳥脚類化石をエアースクライバーで母岩から取り出すというものだ。

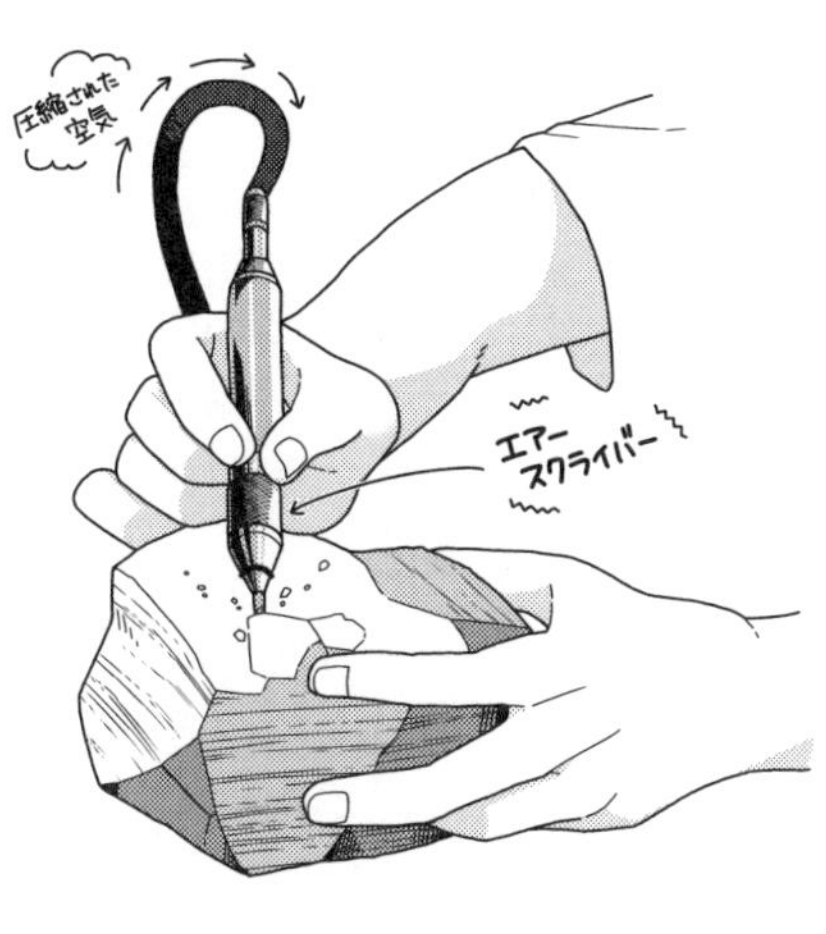

化石のクリーニングは、化石が入っている母岩の硬さによってその工程は様々である。まだ固結していない新しい地層であれば歯ブラシでこする程度で化石を取ることができるし、固結して岩石になっている場合はアートナイフで母岩を削るか、先端の刃先を圧縮空気で震動させるエアースクライバーを母岩に当て、細かいチップにして飛ばしていく。地層の層理面はミルフィーユのように積み重なっていて、層理面（つまりミルフィーユの層を剥がす方向）に沿って剥がれやすいので、層理面に対して高角ぎみにエアースクライバーを当てると化石のまわりの母岩がペラっと剥がれるのだ。この作業は、防塵マスクと防音ヘッドセットを着けた出立ちも相まってとても見応えがあり、展示の

一部に相応しかった。
　エアースクライバーを使っての化石クリーニングはほとんど経験がなくてドキドキのスタートだったが、経験豊かな人に囲まれて実地訓練で経験を積むという贅沢な作業をさせてもらった。

　ところで、セイスモサウルスという恐竜は、今はもう存在しない。ディプロドクスの一種であるという考えが現在では有力である。
　実は恐竜博２００２のクリーニングをきっかけに、セイスモサウルスの特徴だと思われていた形態が、実は骨ではなくて母岩の一部であることが明らかになったのだ。ラボから生まれた「真発見」をその場で経験できたことは、「自分も研究の現場に携わりたい」という目標につながった。

　大学生という若い時に、同じ目標を持つ友人と切磋琢磨できたこと、そして指導教官でなくても骨化石について教えてくれる先生たちに出会えたことは、私の古生物学者人生のなかでも胸を張って自慢したいことのひとつである。

セイスモサウルス
この時のセイスモサウルスは、現在、北九州市立いのちのたび博物館で常設展示されている。

5 ジュラシックパーク世代との出会い：その1

私が大学生の時に博物館の講座などで出会った同年代の学生たちは、小・中学生の多感な時期に映画『ジュラシック・パーク』を観て、将来は恐竜博士になると心に決めた最初の世代だ。現在の日本の恐竜学、古脊椎動物学を盛り上げている優秀な研究者たちを多く輩出（はいしゅつ）した世代であり、まさに「ジュラシックパーク世代」という名がぴったりである。

長年論争が続いていたトリケラトプスの姿勢について新説を出したり、足跡化石から主竜類（しゅりゅうるい）の歩行姿勢を解明したり、骨の剥片（はくへん）からステゴサウルス類の成長を調べたり、鳥脚類の食性や鳥類を含む恐竜の呼吸系を復元したり、現生シカ類の地理的変異を高精度で調べ絶滅種に応用したり、日本産の脊椎動物化石が進化史的にも重要な新種であることを特定したりと、彼らの研究成果をざっと羅列（られつ）しただけでもその活躍ぶりがわかるだろう。

当時は恐竜や古脊椎動物を学べる大学がほとんどなく、みんな必死になって学べる機会を探していたように思う。博物館の講座は、そんな学生たちにとって希望の場となっていた。

目指すものが同じで共通の話題があるから、大学が違っても学年が多少ずれていても集まれば自然と会話が弾んだし、講座後はカフェや居酒屋で恐竜や骨学の話をして交流を深め、古脊椎動物を学べる機会があれば情報を共有し合った。

実は彼らの多くが東京大学の学生で、のちに真鍋先生の指導の下、恐竜の研究を本格化するようになるのである。さすがは超難関を突破した猛者たちだけあって、その優秀さは当時から際立っていた。彼らのすごさに圧倒され、私はその後に自分の進路を見つめ直すことになるのだが、それについては別の章でお話ししよう。

もちろん、このジュラシックパーク世代には、東大軍団にも引けを取らないほどに優秀な「非東大」の仲間もいる。日本大学に在籍していた林昭次(はやししょうじ)さん(現・

岡山理科大学）や、千葉大学に在籍していた村上瑞季さん（現・秀明大学）がそうだ。現在、林さんは骨の断面構造や骨密度から個体の成長や動物の水生適応などを調べる研究をしていて、村上さんは鯨類の系統や適応進化について研究をしている。そんな彼らにも、「非東大」生としてこの先の道をどうつなげていくか悩んだことがあっただろうと思う。

アカデミアの世界は厳しく、特殊な部分もあるけれども、こうして十代後半に出会えた仲間がいたからこそ、勉強や研究で壁にぶつかった時も踏ん張れた。

あれからずいぶん年を重ねたけれど、「ゆり」「ゆりちゃん」と今でも名前で呼んでくれる仲間がいることは、何にも代え難い私の財産である。これから先、白髪が増えても、しわが深くなっても、そんなふうに呼ばれ続けたい。

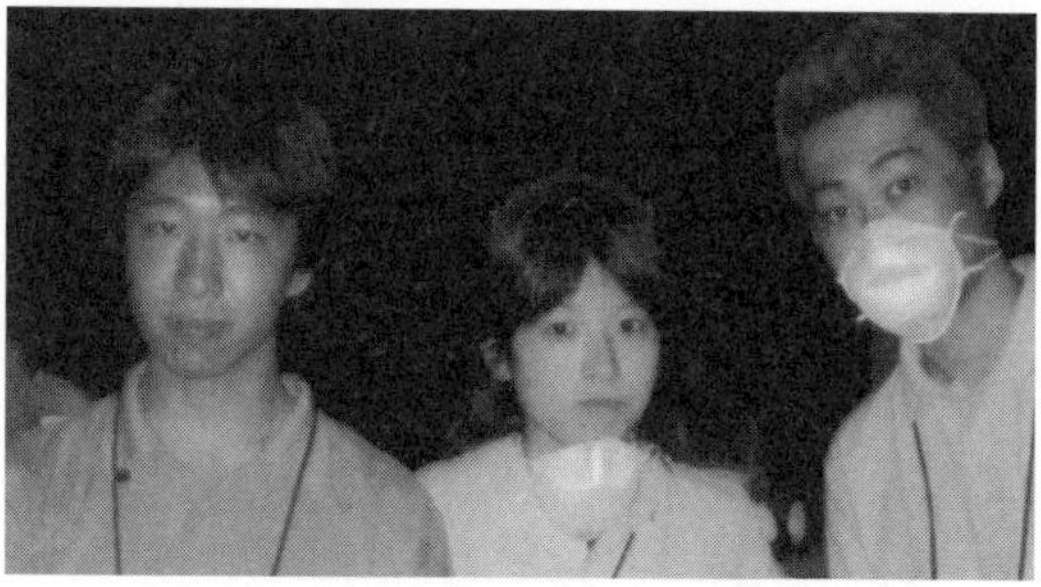

恐竜博2002に青春の一コマを捧げた筆者（真ん中）。防塵マスクがトレードマーク。写真左は村上瑞季さん、右は恐竜くん。

系統
共通の祖先から由来した子孫によって構成されるグループ。

6 ジュラシックパーク世代との出会い：その2

『ジュラシック・パーク』に魅了された子供たちがみんな恐竜博士になるわけではない。ある人は、大人になる過程で恐竜やその他の古生物への熱が自然と冷めてしまうかもしれないし、またある人は、大学生になるまでに趣味として見切りをつけるだろう。恐竜博士になろうと思って大学生になったあとも、人生の岐路は人それぞれで、恐竜以外のことに興味が湧いてその道を進むこともある。

もし「恐竜」と書かれた道を歩くなら、次の分岐点には、「恐竜研究」と書かれた看板と、「研究以外で恐竜に関わる」と書かれた看板が立っているんじゃないかと思う。

ジュラシックパーク世代のなかにも、「研究以外で恐竜に関わる」の看板のほうを歩むことにした人たちがいる。今も仲良しの二人を紹介させてほしい。

まずは、恐竜くん。恐竜専門のサイエンスコミュニケーターで、ちびっこを対象としたイベントでも活躍しているので、恐竜が大好きな子なら知っているかもしれない。先に紹介した恐竜博2002の化石クリーニングブースで一緒に働いたもう一人の学生は、実はアルバータ大学時代の恐竜くんである。

サイエンスコミュニケーターというのは、科学の成果のような専門的で難しい内容を、楽しく、そしてわかりやすい話に組み直して、科学の面白さや重要性を一般の人に広く伝えるお仕事をしている人のことだ。言うなれば、科学者と一般の人を結ぶ架け橋のような存在である。研究論文のような難解な話を子供たちにもわかりやすく教えるといった、教育としての役割が大きいが、もう少し長い目で見れば、広く一般の人に科学の大切さをわかってもらうことで科学者は研究への理解者を得ることができる。アメリカではサイエンスコミュニケーションを専門とした修士号も存在する。残念ながら、日本ではまだまだ認知度が低いし、安定した仕事であるとは言い切れないが、恐竜くんは自分でその道を切り拓(ひら)いていったサイエンスコミュニケーターのパイオニアである。

「恐竜、お届けします。」というキャッチフレーズを掲げるパレオサイエンスという会社に勤めるのは、仲良しのまいちゃんだ。化石やレプリカの販売、化石標本の組み立てや展示の時の標本輸送まで、化石のことなら何でもお任せという会社で、国内のほぼ全ての博物館の古生物標本は、多かれ少なかれこちらにお世話になっていると言っても過言ではないし、科博も例外ではない。

彼女とは恐竜つながりで仲良くなり、恐竜好きが集まる社会人サークル恐竜倶楽部でもお互いの会員番号が続き番号であるほど。知り合ったのは私たちがまだ十代の頃で、まいちゃんがこの会社に入ったと聞いた時は本当にうれしかった。

現在では、私はすっかり恐竜倶楽部のゆうれい部員となってしまったが、倶楽部のメインメンバーのみなさんにはいつも応援してもらっている。創立30周年の記念講演にも招待してもらい、学者として倶楽部に戻れたことはとても感慨深かった。

幸運なことに、「恐竜」の道の先で「恐竜以外の研究」を選んだ私も、「研究以外で恐竜に関わる」ことを選んだ彼らと仕事をする機会がある。道は分岐しても、どこかでまたつながるようだ。

第3章

古生物学者になるには（進路アドバイス）

自分史を語るばかりでは
読者を置いてけぼりにしていそうで不安なので、
ここで一旦、研究職がどんな仕事なのか、
また目指す道にはどんなことが待っているのかを、
自分の経験や考えを踏まえてまとめてみたいと思う。
ちょっとした進路アドバイスと
受け取っていただければありがたい。

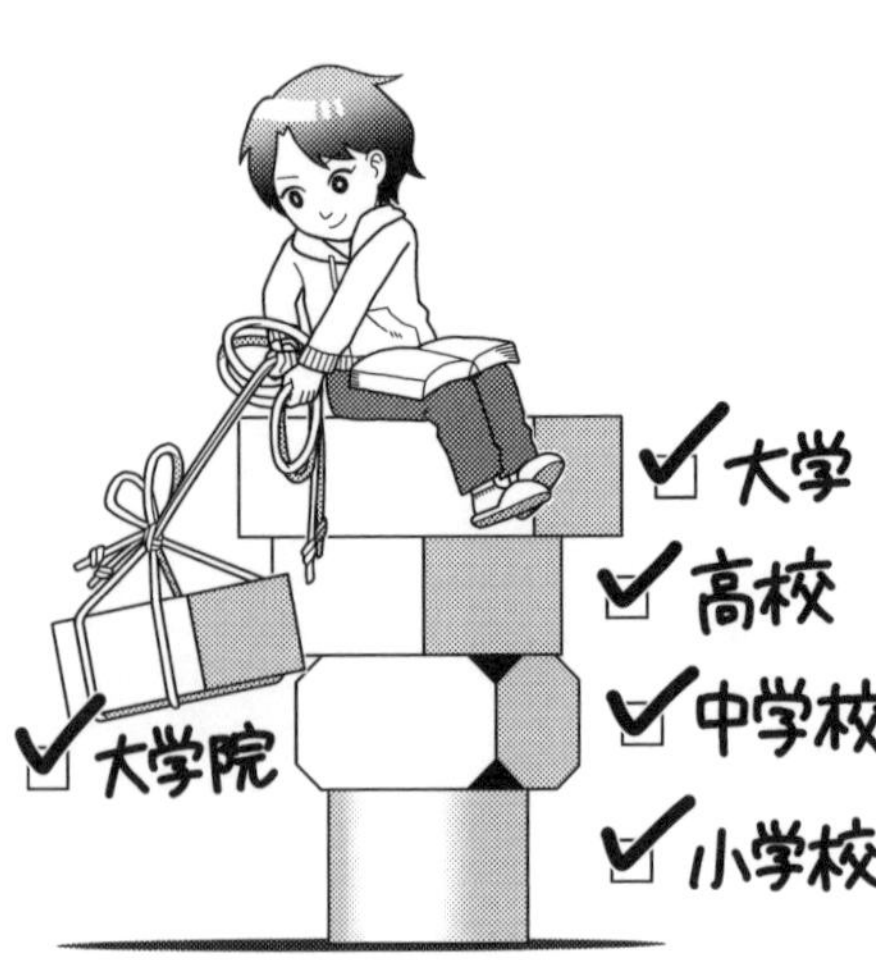

1 小学生、中学生のみんなへ 編

将来、恐竜博士や古生物学者になりたいなら、やっぱり勉強が大事。研究者にとっての勉強は、スポーツ選手にとっての基礎体力みたいなものだからだ。サッカー選手は90分間の試合を全力で戦うために走り込みをして、基礎体力を作る。古生物学者にとっていろいろな科目の勉強をすることは、サッカー選手の走り込みと同じようなものなのだ。学校の勉強はどの科目も大事なのだけど、あえて順番をつけるなら、私なら算数・数学→英語→理科→国語→社会かなと思う。

私は算数が苦手で、当然の流れのように中学と高校では数学に苦しんだ。頑張っても成績が上がらないのは本当に苦しかったけど、夢があったから勉強をやめるわけにはいかなかった。古生物学者になった今も私の弱点はやっぱり数学。でも、みんなは、今から勉強すれば未来をちょっと変えることができる。一生懸命勉強すると可能性が広がる。

2 高校生へ編

恐竜の研究者になりたい、古生物学者になりたいという気持ちが高校生まで続いたのなら、次の進路には地球科学系分野（地質学、岩石学、古生物学など）が学べる大学を選ぶのがいいだろう。

古生物学は、地質学に近いテーマと、生物学に近いテーマと、数理工学に近いテーマの大きく3つに分けられる。だから、研究してみたいことが生物系ならば、地球科学系のコースではなく、生物学や動物学方向に進学するのも大いにアリだ。学部のうちは広い視野で勉強をして、大学院から古生物を専門にすることも可能である。その場合は学部生の時に古生物学会などに入会して、化石の先生と面識を持っておくといいと思う。

ちなみに、古生物学は考古学と混同されがちであるが、理系と文系という大枠で異なるので注意してほしい。研究に利用する手法が同じである場合が多いので、不思議なところであるが、考古学は人間が生活している時代に地中に埋まった遺物やそれと一緒に見つかる動物を研究対象とした文系分野で、古生物学は人間よりも古い地質時代の生物を研究対象とした理系分野である。受験勉強という点では、文系と理系という最初の大きな分かれ道で、考古学と古生物学では別の方向に行ってしまう。古生物学者を目指すなら理系だ。

インターネットで簡単に調べられる時代なので、どの大学で何が学べるかという情報はだいたい手にすることができるだろう。恐竜博やニュース記事で目にするような先生が勤めている大学について調べてみるといい。ついでにどの大学を卒業したのかも知っておいて損はない。大学で教えられている研究テーマというのは、その大学に所属している教員（教授、准教授、講師、助教）の専門性に大きく依存するので、門構えとしては同じ「地球科学」でも、古生物を勉強できるところとできないところがあるから注意が必要である。

また、大学の先生には転勤はないが、良い研究環境を求めてほかの大学に移ることがある。得た情報が古くなっていることもあるので、大学教員のリストには受験前に目を通しておこう。日本古生物学会の学会発表の講演予稿集は、学会のホームページからダウンロードでき、ここで発表者の名前と所属が確認できる。「これがやりたい！」という強い想いがある人は、そういうものもチェックするのがオススメだ。

ところで、大学は授業料が高いし、自宅から通学できない場所にあれば一人暮らしをすることも考えなければいけない。まずはお金のことを、ご両親に相談してほしい。現役で学校に通う高校生は、勉強では大人よりも優れている部分もあるだろうが、お金のこととなると、あなたの力はまだまだ遠く及ばない。経済的な面で自分の希望が叶わないことが出てくるかもしれない。

　想像の世界に入ってみよう。仮に、あなたは恐竜の勉強がしたい高校生で、両親に進学について相談してみたとする。両親は経済的なこともあって高校を卒業したら働いてほしかったが、小さい頃からのあなたの夢も知っているから、「家から通える大学なら進学してもいい」と条件付きで許可してくれた。しかし、その大学は、もっと上を目指したいあなたには物足りないもので、おまけに恐竜を教えられる先生がいない。ただ、地質学の先生はいるようだということがわかった。高校生にとって受験はここイチバンの大仕事であるから、あなたはきっと、思い通りの受験ができないことに、悔しさとやるせなさでどうしようもない気持ちになると思う。でも、いつかの未来には、必ず気づいてほしいことがある。古生物学は日本の社会に実用的に役に立つわけではない。あなたの両親はその学問を大学で勉強していいと言ってくれた、あなたの世界一の味方なのだということを。それがわかった時、あなたは、きっと踏ん張って、いい仕事をするようになる。その仕事は恐竜の研究であるかもしれない。

3 留学編

以前は、古生物のなかでも古脊椎動物学を専門とする先生が日本の大学にはあまりいなかった。だから、恐竜が勉強したい、哺乳類の化石を研究したいとなると、海外留学は避けて通れない大きな選択のひとつであった。しかし今は骨化石を研究できる大学が増えてきているので、学部から海外に留学する必要はあまりなくなったようだ。

一方で、それを選択肢が「増えた」と捉えることもできるだろう。日本で学べるから海外に行く意味はない、ということではない。日本よりも海外のほうが自分の性格に合っているということもあるだろうし、「あの先生のもとで勉強したい」ということもあるだろうから、その場合はトライしてみるといい。

これは10年間の海外留学を経験した私の個人的な意見だが、学部生（つまり十代の終わり）から英語圏に留学すると、英語はものすごく達者になり、「日本人らしさ」というのが自然と薄まっていく。アチラで育ったんじゃないかと疑いたくなるほど、言語的にも文化的にも留学先の国に親和していくようである。

一方、大学院から留学すると、スピーキン

グには日本語訛りがずっと残り、程度の違いはあるものの、文化的にも「日本人らしさ」が残る。日本人らしさが少なくなるというのは、まだまだ寛容性の低い日本社会ではデメリットとなる面も多いため、将来的に日本で仕事を探したいのなら、大学院生の時に留学するほうが良いように思う。逆に、仕事先を日本に限定しないのなら、学部生から留学するのも大いにアリだ。

もし大学院から海外に留学するつもりであれば、自分を「売り込める」ように大学の成績だけでなく卒業論文（や修士論文）にも力を注ぐこと。成績表をペラっと送りつけるだけでは、相手は自分のことを認めてはくれない。大学院生として「採用」してもらうために（海外では大学院生は準プロフェッショナルの位置付けである）、志望する研究室の教員に自分を売り込む必要がある。そのために、受験する前に直接会ってアピールすることも大事な要素で、懇意にしている先生を頼って大学院進学先を探すことは、コネでもなんでもなく、欧米ではごくごく一般的な売り込み戦略である。

夢を叶えようとしている大学院生の話をひとつ紹介したい。

私は大学教員ではないので学生を持っていないが、標本管理の業務をスムーズに行なうために、科博の研究施設に近接する筑波大学の学生さんをアルバイトとして雇用している。化石のクリーニング、標本登録、データベース公開と、科博にとって重要な業務の一端を担ってもらうので、「アルバイト」という言葉以上の仕事をしてもらい、信頼し合うビジネスパートナーとして自然とお互いのことをよく知ることとなる。

　少し前に、微化石（びかせき）の研究をしていた修士課程の学生さんがそのアルバイトをしてくれていた。どうしても三葉虫の研究をするために海外で挑戦してみたいということで、「それならば！」と大学院留学の相談にのるようになった。自己推薦文の書き方や志望大学や教員へのアピールの仕方を指導して、年末は紅白歌合戦そっちのけで自己推薦文を添削（てんさく）した。そんな彼女は、三葉虫の研究者になるためにアメリカのバージニア州に大学院留学を果たした。

　まだ、ほかの誰にも見せていない、ご両親にも見せていない合格通知を手に、最高の笑顔で私の部屋にやって来てくれた時のことは、私にとっても忘れられない一生の思い出である。なんのコネクションもないところからスタートして、見事に三葉虫の研究室に入ることができた。そんな先輩がいるのだから、夢を叶えることは不可能ではない。

4　研究をするということ編

研究は、教科書を読んだり人から教わったり経験を積むことで得られる「学び」に、「世界の誰も知らない新しいことを探求する」という要素が加わって成り立つ。たとえ同じものを観察していても、そこから何を読み解き、何を発見するかは、見る人によって大きく変わってくるのだ。そんな研究の世界では、「学力」と「発想力」と「プレゼン力」が大切になる。

世界中の研究者が集って直接話をできる場はそうそうないので、コミュニケーションの

場、そして時に勝負の場となるのは、論文だ。学力の面では、論文を読み込むための基礎学力はもちろん、既存研究を客観的に評価する力や、新しい方法論や数式を生み出す応用力が必要になる。そこに、どのようなアプローチで研究結果を導き出すかといった発想力と、高いプレゼン力が備われば、向かうところ敵なしの優秀研究者が出来上がるというわけだ。

ほかの仕事に研究者を当てはめて考えてみると、一番近いのは「社長」業ではないかと私は勝手に思っている。

研究を進めるには資金が必要だ。理系の研究にはお金がかかるので、多くの場合、自己資金だけではとてもまかなえない。だから、資金を提供してくれる機関や企業を相手に、提案する研究プロジェクトの必要性や、新たな結果を得られた場合のメリットなどを説明し、スポンサーになってもらう必要がある。それにはプレゼン力が必要だ。自分だけが面白いと思っていても研究は始まらないのだ。「イイネ」をたくさんもらえた研究計画がプロジェクトとして進行するのである。

資金が集まると、研究がスタートする。研究室を運営し、学生さんに興味分野のテーマを与え、時には研究を促進するためにポスドクや実験のアシスタントを雇用したり、スケジュールを管理してもらったりする。実験で出てきたデータを分析し、よい結果であれば学会発表という討論の場に持ち込む。これでうまくいくぞ！というレベルに達したら、論文を書き、査読という審査を経てようやく公表となる。

専門家向けに公表するだけではこの研究について広く知ってもらうことができないので、一般の人にも伝わるようにプレスリリースを作成する。言うなれば、新製品のパンフレットみたいなものである。この時、専門用語は避けて、多くの人に興味を持ってもらえる文章を意識することも大切だ。

どうだろう、社長さんっぽく聞こえないだろうか。大きな研究室なら大企業の社長さんだろうし、私は一人で切り盛りしているので、従業員さんのいない小さな会社の社長さんといったところかもしれない。

分野によって少し異なるところはあるが、古生物学に限らず理系の研究では概(おおむ)ね次のようなプロセスを通る。

1 面白い研究テーマを思いつく
2 助成金を申請して、研究プロジェクト化する
3 研究プロジェクトを進める
 a 論文を読む
 b 分析、解析
 c 打ち合わせ、学会発表
4 今までにない研究結果を出す
5 論文として公表する
6 研究結果を広く知ってもらう

古生物学者を目指すなら、学生の間にこの一連のプロセスに対して部分部分で「合格」をもらわないといけない。大学から大学院へ、そして修士号や博士号を取るならば、どの段階でどのスキルを身につける必要があるのか、ざっくりと書いてみよう。

■卒業研究の場合（1年間の体験入門）

大学生の卒論で「合格」すべきことは、3である。大学4年生になったばかりの学生がいきなり新規テーマを見つけることは難しい。多くの場合、先生がすでに面白い研究テーマを持っていて、その一部を担い、自分なりの小テーマを設けて卒論を進めることになる。分析結果が良ければ、それよりも先に進む人もいるかもしれないが、3ができればまずはOK！

■修士論文の場合（少なくとも2年間にわたる修行）

修士課程の大学院生は、1・3・4で手応えを感じ、充実感があれば良し。いずれも、この段階では先生の力を借りながらでいい。

研究職を目指すのならば、修士論文の結果を洗練させることで5や6につなげられれば尚のこと良しである。そのようなレベルであれば、日本学術振興会の「特別研究員」(*)の切符を手中に収めたようなものだ。

いずれにせよ、研究室やゼミの指導教員は近い将来には研究分野の同僚となるのだから、準プロフェッショナルであるという意識を持って取り組むといいのではないかと思う。

■博士論文の場合（さらに3年間+αにわたる修行の末に）

博士号の取得をベースとして考えている学生は、研究でプロになりたい人なので、1から6までの全てのスキルを身につけなくてはというプレッシャーのなかで研究を進めることになるはずだ。

博士課程の学生が経験する大変さを具体的にイメージしてもらうために少し主観的に深掘りしてみよう。

身につけなきゃとはいっても、これだけ多岐にわたるスキルとなると、苦手なものが出てくるものである。このなかで、苦手であることで後々苦労するのは、2の「助成金の獲得」だろうと思う。この時期は同じ学年であれば論文数はほぼ横並びなので、助成金の申請時に提出する研究歴にはあまり大きな差は出ない。裏を返せば、論文1本の差が天と地を分けることにもなり、その分、どうしてもソワソワと神経質になりがちだ。

日本学術振興会の「特別研究員」になれれば、決まった給料を毎月もらい、年度ごとに研究費ももらえる。分野によって通りやすさが異なるとはいえ、特別研究員への採用通知をもらえることは、研究者としてのポテンシャルの高さを客観的に認められたようなものである。特別研究員に採用されるかどうかを、研究者の道に進むかどうかの指針にしたという研究者を何人も知っている。やはり東京大学などの有名国立大学の学生は強い。地頭の良さもあるだろうが、採用通知をもらうためのノウハウを先輩から受け継いでいるのも大きいと思う。

ここでひとつ、想像してみてほしい。例えば、研究室で隣に席を並べている友人が特別研究員になり、自分がなれなかったとしたら。

博士号を取得しようと思うぐらいなのだから、ここには優秀な学生ばかりが集まっている。勉強が他人よりできることは当たり前で、それまで挫折（ざせつ）らしい挫折も経験してこなかった優秀な学生にとって、特別研究員の不採用通知を受け取ることは、もしかしたら人生初の大きな挫折になるかもしれない。この時、たとえ最初は落ち込んでも、その後にぱっと気持ちを切り替えて、奮起できるくらいの精神力を持った人のほうが研究者には向いているような気がする。

　ところで意外かもしれないが、古生物学者になるには必ず博士号を取得しなければならないかというと、そんなことはない。欧米で古生物学者になりたいのであれば大学教員でも博物館の研究者でも博士号を取得していることが必須なのだが、日本では博物館に勤めるのであれば、修士号だけで十分な場合もある。だから、博物館で働きたい古生物専攻の学生は、ここで博士号を取得しようかどうか悩んでしまうこともあるだろう。

　どちらがいいかはそれぞれなので一概には言えないが、自分の適性に合った答えを大学院の間に見つけてもらえたらよいと思う。

　ハードな夢というのは長く持ち続けないと叶わないくせに、実現化するために与えられたチャンスの時間は短い。

　でも、知っておいてほしいのは、1メートル先の針の穴に糸を通すような、狙い定めた道を進むことだけが夢じゃないということ。自分がいる場所がたとえ理想の道とは違っていても、そこから自分の意志で少し軌道修正してみる、そのプロセスごと「夢を叶えること」と思うことが大切だと思う。

*日本の研究者を支援している日本学術振興会には、若手研究者に向けた特別な支援制度があります。研究者や学生は、この制度に応募し採用されることで、「特別研究員」になることができます。研究をするには、生活費はもちろん、必要な道具を購入したり、調査地までの交通費がかかったりと、何かとお金はかかるものです……。（スズキ）

5 運も実力と思え編

古生物学は、ことさらに運がものをいう世界である。

まず、材料となる化石を発見する運。最近の大きな研究であるカムイサウルスの発見・研究経緯を読んでみても、どれだけの奇跡が重なっていたかがよくわかる。

ここでは、もうひとつの重要な運、古生物学の就職に関する運について話したい。

古生物学の研究を生業（なりわい）にするということは、学問としての古生物に加え、お金をもらうことをプラスして考えなければならない。「生業（プロ）」を意識する学生にとって大事なことになるので、ちょっと世俗な話なのは重々承知で書かせてほしい。

古生物学という研究分野で「食べていきたい」人にとっては、仕事にありつける運は、化石を発見する運くらい重要になる。ここで、あれ？と思う人もいるだろう。研究力（＝学力＋発想力＋プレゼン力）に秀でていれば向かうところ敵なしの研究者になれるのではないのか？　もちろん、高い研究力は研究職につながりやすい。ただ、ここで目を向けたいのは、席の数が少ないという現実。

この世の中には、社会の多くの人が求める仕事がある。コンピューターエンジニアなんてどうだろう。1人1台パソコンを持つ時代なのだから、おそらく高いニーズがあるはずだ。エンジニアになるためには学生時代から理工系の勉強をたくさんしなければならないと思うが、そこで得た知識を役立てる職種の幅は広い。一方で、古生物学のニーズはどうであろう。コンピューターエンジニアほど需要があるかという問いにイエスとは誰も言えない（もちろん、プロとして向き合っている手前、社会の役に立たないとは思わないけれど……）。

社会的ニーズの低さに連動してしまうのだが、正直に話してしまえば、古生物学の知識をそのまま応用できる仕事はあまりない。いや、ほとんどない。地球科学系に枠を広げれば、石油系や地質コンサルタント系というお金に明るい仕事はある。しかし、古生物学に絞ってしまうと、途端に就職先の選択肢が少なくなるのだ。その対象は、大学や博物館もしくはそれに類似した機関くらい。そして、どのくらいの頻度で研究職の仕事の募集がかかるかというと、年に数件程度といったところである。全ての大学で古生物が勉強できるわけではないし、古生物学系の学芸員職がある博物館の数も各都道府県に1~2つ程度であり、そしてこれらの機関で欠員が出なければ募集はほぼないといってよい。年に数件という数字が大袈裟(おおげさ)でないことがわかるだろう。このわずかなチャンスを狙って、古生物学者の卵たちが群がるのである。

博士号を取得したばかりで、たまたま公募があり、仕事を得られたのなら、その人は研究力も高く、運も良かったといえる。博士号が取れるのは大学を卒業してから最短で5年後だから、博士号を携えて研究職の扉を叩けるのは、（飛び級しない限り）若くても27歳ということになる。多くの人はすぐには就職先が見つからないので、そこから、ポスドクという「博士号を持った有期契約の研究員」になり、さらに自身の研究力を高めていく。私の世代だと数年〜5年程度のポスドク期間が平均的であったように思う。私自身を例にすると、博士号を取得するのに足踏みしたせいもあるが、32歳になってようやく現在の仕事をもらうことができた。それは、ものすごく幸運なことだった。しかし、これが、大学を卒業して就職した人に比べると10年も後であるということも、また現実なのだ。

以上のことから、学生さんから相談があると、「日本一難しい試験を受けなければならないお医者さんや弁護士さんになるという目標のほうが、よっぽど簡単だよ」と表現することがある。もちろん、医師や弁護士になるための試験が簡単だなんて思っていない。しかし、彼らはなるためのプロセスがはっきりしていいる。これは大きな違いだ。

研究職に就くには、二十代のほとんどの時間を研究と勉強に費やさなくてはいけない。多くの人にとって二十代は、若さに満ちあふれ、さらに自分で稼いだお金を比較的自由に使うことができる、人生のうちでも貴重な期間だろう。会社員ならボーナスで大きな買い物をすることもあるだろうし、仕事を頑張ったご褒美に美味しいスイーツを食べたり、街でふらっと立ち寄ったお店でアクセサリーや腕時計を衝動買いすることもあるかもしれない。でも、古生物学者を目指すのなら、それらは全て「別の世界のお話」と考えたほうがいい。二十代後半で博士課程の学生をしていた頃、私には安定した仕事を持ったまわりの人がキラキラして見えて、なんだか私だけ世の中から取り残されてしまったような、なんとも形容しがたいモヤモヤがあった。

古生物学者への道は、険しいものだ。

「古生物学者になりたい」というのは、「研究をして生計を立てたい」「プロの研究者になりたい」ということだと思うので、それを前提に、ここでは私の経験を元にしたキビシイ古生物学の一面をお話しした。

楽しかった古生物学がいつの間にか憎しみの相手になってしまうようなことがないことを祈って。

6 実は道は無限大？編

ここまでに紹介したことは、古生物学者を目指す上での王道である。

世界には、すごい研究者がたくさんいる。そんなトップ研究者たちと同等に渡り合えるような研究者になりたいのならば、やはり王道が近道だ。大変そうに見える道が実は一番「ラク」だったりする。

例えば、難関の国立大に入ることは難しいことだけれど、そこには同じく難関を勝ち抜いた同志がいて、常に高いレベルで切磋琢磨できる。築いた人脈は社会に出てからも自分を助けてくれるだろう。学生生活をスタートする段階から一歩リードしている。ちょっとしたシード権を持っているようなものである。

トップの国立大は、やっぱり違う。私は、私立の早稲田大学とサザンメソジスト大学を出ているが、これは、そんな私が常々感じてきた率直な気持ちなのだ。古生物学者になるためにどうすればいいかと聞かれたら、私はやはり王道を答える。それはこれからも変わらない。

でも、いざ研究者として社会に出てみて、気づいたことがある。研究者への道は、実は無数にあるのかもしれないということだ。

研究以外でお金を稼いで、それを資金として投資できれば、古生物の研究はできてしまえるのである。「サラリーマンとして働いているワタシは世をしのぶ仮の姿。本当は凄腕の研究者／化石ハンターなのである」と首を回し、グイっと見得を切れば、あなたは立派な研究者ではないか。

世の中には、研究機関に属さず、独学で研究を続けている人もいる。

王道だけが唯一の道ではないし、遠まわりもまた自分を成長させてくれる。思いが続く限り、夢の道はつながっていくのだ。

カナダ・アルバータ州にあるロイヤル・ティレル古生物学博物館。当時アルバータ大の学生だった恐竜くんらを訪ねて長期旅行した際に撮影した1枚。大恐竜博 '90で来日していた化石とも対面を果たした。

7 最後に、親御さんへ編

あなたのお子さんが恐竜や化石に興味を持ち始め、そのうち古生物学者になりたいと夢を打ち明けてきたとしたら。

決して否定せず、過度に手を出さず、見守る姿勢を貫いてほしい。

もし何か力になりたいのであれば、湧き出る興味を自分自身で解決できるように、参考になる本をたくさん用意してあげるのがいいと思う。博物館や展覧会などに連れて行ったり、研究者のお話を聞くためにトークイベントに参加するのもいい。

勉強は、自分の意思でやらないと続かない。研究者になるということは、長い長いマラソンを走るようなものだ。持久力も精神力も試される己との闘いのなかで、大きく成長していく。だから、伴走者である親は、決してリードしてはいけない。

そしてどんな時でも、味方であってあげてほしいと思う。一人で頑張って限界を感じた時、「あなたは一人じゃない」と言ってくれる応援団長が側にいれば、きっとまた立ち上がれると思うから。

第4章 いざ研究入門

1 フィールドで、小さな私ができること

古生物学者を目指す道のりには、何度かの挫折ポイントが用意されている。就職先はどのくらいあるのだろう。古生物を学ぶことが社会の何の役に立つのか。そもそも、優秀な人たちがこんなにたくさんいるのに、私は本当に古生物学者になれるの……？　厳しさがだんだんと現実のものとして感じられてきた頃、

就職活動に精を出す同級生たちを横目に見ながら、ほかの道に行くなら今だと、何度も自分の心に問いかけた。でもその度に、やっぱり古生物学者になりたい、研究の現場に携わりたいという気持ちに戻ってしまうのだった。

科博のアルバイトをしながら、ちょうどそんな葛藤を抱えていた時である。冨田先生の中国・内モンゴルの発掘現場に連れて行ってもらえることになった。中国への飛行機代を稼ぐために、アルバイトにもより一層力が入ったが、一方で、浮き足立っていられる心境にもなかった。

当時、古生物学者を志す女性の先輩には何人か活躍が期待されている方がいたが、指導者となると、日本の大学には骨化石を研究する女性の学者はまだおらず、私の時代でも全てが手探りだった。何が正解で、どれが近道かなんて、誰にも、冨田先生にもわからないことだった。

しかし、わからないなかでも、ひとつ確実に言えることというのがあって、それは、必要とされる研究者になることが大事だということだ。自分にしかできないものであればベストだが、たとえオンリーワンなことでなくても、大きな研究をするなかで頼られる研究者になることが、古生物学の世界で生き残る秘訣のようだった。

さて、私はどうだろうと考えてみる。

内モンゴルのフィールドへは、四輪駆動の自動車数台で行く。1台の定員は5名だが、研究者のほかにドライバーさんと通訳さんの席を確保し、機材と食料を載せることを考慮しなければならない。研究費がたくさんあれば車の台数も増やせるが、限りある研究費でやりくりするには可能な限り少人数で効率よく動くことが求められる。そこで真っ先に削られるのが、当然ながらアシスタントの数だ。過酷な環境で野外調査をする時に、そこに連れて行きたいのはどんな人材だろうか。

「小さくて、力もない自分はそのなかに選ばれるか?」

残念だけど、答えは明らかだった。

「じゃあ、どうする?」

この答えにつながるヒントを探すことが、内モンゴル発掘の個人的な裏目標になった。

ゴビ砂漠東縁に広がる大草原を上下左右に揺れながら走る四輪駆動車は、時折止まり、遊牧民たちのフェンスの中をお邪魔しながら、先へ先へと進んだ。研究者は、露出している崖の色を見ながら、新生代の哺乳類化石の新しい産地がないか、目を凝らして探していく。

この、中国チームとの内モンゴル発掘調査はそれから数年にわたって続くこととなり、発掘のエピソードは山ほどある。しかしそれについては章を改めてゆっくり語ることにしたい。ここでは、裏目標の続きを書くことにしよう。

恐竜博で自分の体の倍以上もあるセイスモサウルスの骨盤をクリーニングさせてもらった経験は、あらゆる意味で、私のなかに強烈なイメージとなって残っていた。あんな大きな骨を、どうやって掘って、どうやって持って帰ったのだろう。その現場を想像すれば、作業するのは体を鍛えた筋肉モリモリの男性研究者たちの姿しか浮かばなかった。数十キロの重装備を担いで道なき道を歩き進み、大きく重い骨を運ぶなど、女性にできるものとは思えなかったのだ。

ところがこの調査で、実際の発掘現場が自分の思っているようなものばかりではないのだと気づかされるのだった。

調査チームは、野外調査のためのベースとなるエリアまで移動したら、新しい化石産地を探すだけでなく、すでに論文で公表されている化石産地にも訪れる。露頭の表面は雨や風にさらされるので、前回訪れた時には地面の下にあった化石が地表面に出ていることがあり、それまでそこではあまり見つかっていなかった種や、あるいは全く出ていなかった種の化石が見つかることもあるからだ。道なき道を行くだけが調査ではないことを知った。

また、このような大移動の調査での移動手段は車が基本で、化石産地に着いたあとはリュックに飲み水と簡単な調査用具、ＧＰＳ端末を入れて、比較的軽装備で歩いて化石を探す。この調査でメインターゲットとしていたのは小さな動物の化石だったので、化石が含まれていると思われる堆積物を集めるのが現場での主な仕事だった。それをふるいにかけ、砂利とともにふるいの目の上に残った化石をピンセットで拾い出すのだが、その作業は堆積物を持ち帰ったあと。これならば、力のない自分でもできると思えた。こういう調査もあるのかと、目から鱗（うろこ）だった。

もし、サイの頭骨など大きな化石を見つけたら、GPSでロケーションを記録し、その場では掘らない。そして決められた時間になったら停車した場所に戻り、大きな化石を見つけたことを報告する。

徒歩による調査の時間は、停車した地点に戻れる範囲の距離であることを考慮し、1回あたり長くても2〜3時間といったところ。日が暮れる頃にはもちろんクタクタだが、なんとかやっていけそうだった。化石探しにもビギナーズラックというものがあるようで、若い健康な目も手伝ってか、たくさん見つけられたことも励みになった。

野外調査のあとは共同研究チームである中国科学院古脊椎動物古人類学研究所（IVPP）で化石の整理をするのだが、そこでたくさんの女性研究者に出会えたことも大きかった。緊張しながら挨拶をすると、にこやかに迎えてくれ、そして名刺交換をすると、読んだことがある論文の著者と知り、驚いたりした。IVPPでの女性の割合は全体の3〜4割ほどで、小柄な方も多かった。「古生物学者は筋肉モリモリの男性研究者」というイメージは、自分のなかで作り上げてしまっていた固定概念（がいねん）にすぎないことを実感した。先生たちとお話ししながら、自分の未来を重ねてみた。

2004年の内モンゴル調査で見つけた露頭にて。ポケットがたくさんある魚釣り用のベストは便利だが、筆者は小柄なのでいつもぶかぶかである。(2015年撮影)

小さな自分には、小さな動物をベースにした研究と相性が良さそうだ。

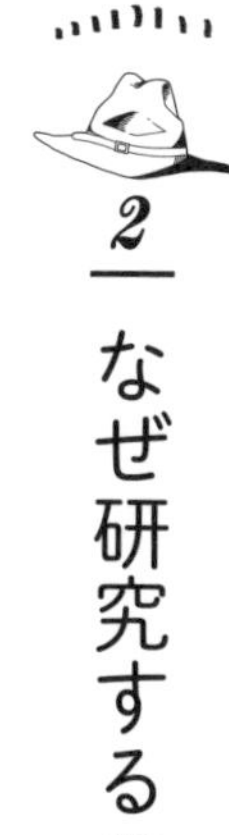

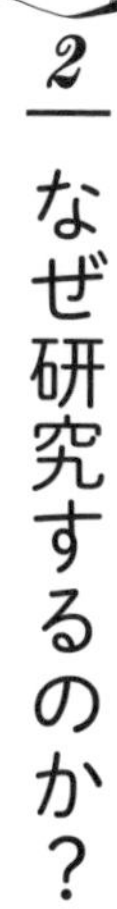

2 なぜ研究するのか？

私が所属した平野研究室について少しお話ししたいと思う。

平野研究室では、フィールド調査をベースに、先生の専門であるアンモナイト、そしてそれ以外にも、イノセラムス、花粉、微化石、化学層序、骨化石といろいろな材料を扱って白亜紀の海の環境や動物進化史の復元に取り組んでいた。

ひとつの研究室で実に多様なテーマを取り扱っていたのだが、これは先生がもともと広い分野に興味を持っていたことと、そしておそらく、インターネットが発達していなかった時代に、古生物を勉強したい高校生がなんとか情報を集めて早稲田大学に入学し、どうにか自分の興味ある分野を研究させてほしいと、平野先生にすがるような思いでお願いした結果からなのだろう。

一見するとバラバラの研究をしている学生が一堂に会して研究の進捗状況や成果を議論する場が、ゼミである。平野研究室のゼミで恒例となっていた名物攻

化学層序
地層に含まれる化学成分を分析し、その地層が形成された順序を研究する分野。

撃が、「なんでそのテーマの研究をしているのか?」という質問だ。初回のゼミは特に怖い。

静かに手をあげ、ニヤリとこの質問を言い放つ先輩の姿は、獲物を狙っているハンターのそれなので、震え上がるほどに緊張するのだが、平野先生が横でニコニコと聞いていて、その対極っぷりも凄まじいものがあった。

多くの卒論生が、もじもじと、「今まで研究されていないので」と答え、「それでは答えになっていない!!!!」と一蹴(いっしゅう)される。

なぜその研究をするのか、テーマ性のある研究目的を探し出すことは非常に難しい。解き明かしたい問題点や疑問点が存在し、適切な手法を用いて、その答えを明らかにしていくのが研究なのだから、「新規性だけでは研究する理由にならないでしょう」ということなのだ。その通りである。

解き明かしたいことってなんだろうか。面白い研究ってどういうものなのだろうか。古生物学者となった今でも、このゼミのやり取りを思い出すと背すじがピンとなる。研究者として歩みを進める限り、この問いと対峙し続けなくてはいけない。卒論生を困らせるイジワルな質問にも思えるが、研究をするということの本質を学部のうちに叩き込まれたのは良かった。のちにロストジェネレーションと呼ばれた就職氷河期の真っ只中で、「研究の世界に残れるように」と鍛えてくれた先輩の優しさだったのだと思う。

「なぜそのテーマの研究をするのか」

この問いを胸に、フィールド調査と化石発掘が本格化する夏を迎えた。

3 アンモナイト研究室で、アンモナイトを研究しないやつ

ゴビ砂漠でのフィールド調査から戻ると、平野研究室はもぬけの殻だった。平野研究室の主な調査地は北海道。冬が早く訪れる北海道ではフィールド調査ができる日数が限られていたので、夏になると、野外調査を軸とする研究を行なっている学生が一斉に研究室からいなくなるのだ。

当然、私も北海道調査をベースとして卒業研究に取り組むべきであったのだが、その前年度に脱落宣言をしていた。

平野研希望者は、例年、授業の北海道巡検(じゅんけん)が終わると(半強制的に)先輩のフィールドに数日間だけ参加するのだが、これがつらかった。熊が出るかもしれない沢を上流に向かって歩き、地層が露出していたら、ルートマップにロケーションを落とし、クリノメーターで地層の走向(そうこう)・傾斜(けいしゃ)を測り、砂岩(さがん)なのか泥岩(でいがん)なのかといった岩相(がんそう)を記載し、泥岩層に入っている

巡検
地理学や地質学における調査実習のこと。

クリノメーター
コンパスに水準器をつけた道具。

ノジュールを叩いて化石があるかどうかを調べる。片手でふるう小さなハンマーではパワーが足りないので、大きなハンマーを持って行くこともある。化石が見つかったらリュックに入れて、さらに上流を目指す。これを日が暮れるまで繰り返す。リュックは重いし、沢を歩く距離は長い。先輩はルートマップを切りながら歩いているというのに、それについて行くだけでもしんどかった。熊鈴だけが絶え間なく鳴っていて、これぞ「ザ・修行」という調査に、ついに音を上げた。フィールド調査をベースに研究してみたいと思っていた分、大きな挫折感とともに北海道の大地を去ったのだった。

この苦い経験のため、北海道調査はやる前から挫折してしまったのだが、フィールド調査自体は卒論に組み込みたかった。そこで、博士課程の先輩に指導してもらうことを条件に、別の地域で卒論研究をしてもよいという許可をもらった。指導係となったのは軟体動物化石と堆積学を専門としていた先輩で、ストーム（波浪）によって集積した貝の密集層に、普段はどのような生息域に棲（す）んでいる貝が集積しているのか、ということを調べるのが課題になった。

ノジュール
泥岩や砂岩の中で見られる、固い球状の塊。化石や砂粒を核として珪酸や炭酸塩などが濃集したもの。

軟体動物化石
巻貝や二枚貝など。

これが実に面白い調査なのである。フィールドについて行くと、先輩は園芸用のねじり鎌で崖に露出した第四紀の地層断面を削り、潮の満ち引きや河口付近にできる特徴的な堆積物を見分け、当時の茨城県の海岸にどのような地形があったのかを教えてくれた。地層の断面を記録した柱状図をいろんな地点で集めていき、それらの地層を対応させ、海水準が上がったり下がったりすることによって変化する海岸の地形を復元していく。地層の硬さはねじり鎌で削れる程度のもので、フィールド調査は主に車移動。露頭が見つかれば細かく観察していくという調査スタイルは体力勝負の現場とは違って自分にも向いていると気に入り、一年間限定で弟子入りすることとなった。

同期が北海道で屯田兵(とんでんへい)なみの仕事をこなしているのを想像しながら、自分も調査地の静岡県掛川(かけがわ)市へ急いだ。GPSがないローテクの調査で、「ココハ、(地形図上の)ドコ?」「コノ堆積物ノ粒度ハ泥?　細粒砂?」という初歩レベルから、だんだんと先輩との答え合わせで及第点(きゅうだいてん)が取れるようになった。貝化石密集層の詳細な柱状図を作成し、密集層を掘り出したらふるいがけし、貝化石をクリーニ

柱状図
ある地点の地層の情報(地層のできた順序や岩相、含有物など)を模様や記号によって長柱状に表したもの。

ングして種を決める。破片度を考慮して個体数を数えたら、その種の生活様式や生息深度をリスト化し、これらの頻度分布の時系変化を調べた。ストームによって集積した貝化石密集層を構成する貝は、それほど長い距離を運搬されたわけではなく、堆積物から推定される水深と調和的だというのがこの調査の結論だった。諸先輩方からみたら荒削りの「研究体験」で、今振り返ると反省点ばかりなのであるが、卒業から5年でなんとか日本古生物学会の和文誌『化石』に掲載されることになり、北海道調査から逃げてしまった身としては、これでようやく免罪符を得たような気分だった。この日本語の論文は、長くアメリカにいることになった私の日本語能力を客観的に示す証明書にもなり、これもまた、先輩が私にくれたプレゼントだと思っている。

静岡県掛川市の露頭。ねじり鎌を持って卒業研究に奮闘。

第5章 恐竜は憧れのままで

1 「恐竜」をやりたい？「研究」をやりたい？

科博の真鍋先生のところには、当時、合わせて十名程度の大学生や大学院生が研究のために出入りしていたのだが、そのほとんどが東京大学の学生だった💬。東京大学といえば、自分が高校生の頃にはどんなに勉強しても届く気がしなかった大学だ。雲の上すぎてトライもしなかった。つまり、ここにいるのは自分が得

現在、科博では、筑波大学、東京大学と連携し、学生を指導しています。

られなかったレベルの学力を持っている人たちということになる。今だから告白するが、内心はびくびくだった。研究という仕事には、「頭の良さ」が不可欠だ。その仕事を目指す上で、彼らは最もいい条件を揃えて大学生活を送っているのだ。

研究の世界は学力と発想にシビアである。どんな強運の持ち主で、どんなにいい化石を持てたとしても、この2つを持ち合わせていないとトップ研究者になるのは難しい。はっきり言って彼らには、学力と発想で敵(かな)わなかった。学部生の時点で敵わないと思った。

骨化石から呼吸系の復元をしたいと語っていた平沢達矢(ひらさわたつや)さん（現・東京大学）や、姿勢の復元をしたいと語っていた藤原慎一(ふじわらしんいち)さん（現・名古屋大学博物館）。当時は、まだ学年としては研究の段階には入っていなかったはずだから、実現させたい研究テーマのひとつとして語っていたのだと思う。だけど、実現するだろうなと思わせる具体性と発想がすでにあった。

恐竜を研究している古生物学者は日本に何人いるだろう。その人数だけがプロになることを許されているのなら、自分はその一人になれるだろうか。
この時、私にはすでに、研究者としての資質を兼ね備えた多くの友人たちがいた。用意された数少ない席を奪い合うのは、きっと彼らだろうと思った。

答えは明白だった。

それでも恐竜に関わりたいのなら、恐竜博士ではない別の道を模索（もさく）する必要がある。得意の英語を生かして、海外の恐竜の本を翻訳する仕事はどうだろう。出版やメディア関係の会社で働けば、そこで最新恐竜学を特集することもできるかもしれない。そんなふうに、恐竜博士ではない恐竜との関わり方をいくつか考えて、そこに自分を映してみた。……いや、映そうとしてみたのだけど、その道を進む自分の姿をどうしてもイメージできなかった。

その頃、冨田研究室に出入りして、先生が持っている現生骨格標本を顕微鏡で眺めるという時間を過ごしていた。

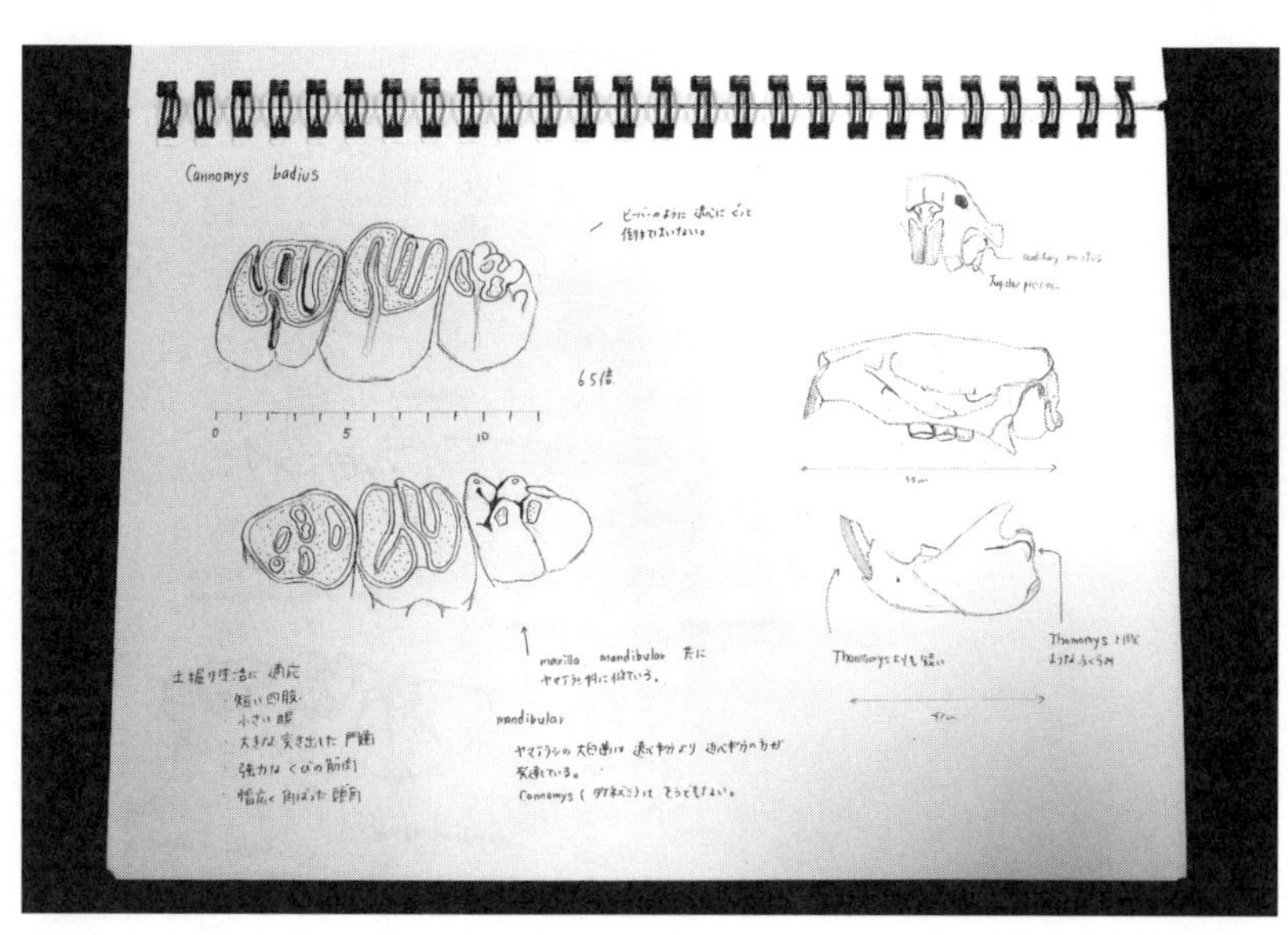

コタケネズミの頭骨と歯のスケッチ。冨田研究室で、黙々と集中してデッサンするのが好きだった。

コトンラットやカンガルーネズミなどの北米の齧歯類(げっしるい)の頭骨を観察しながら「カメラ・ルシダ」という投影装置で映した歯列をトレースし、「これがパラコーンかぁ」などとニンマリしたものだ。「ラット」や「ネズミ」という名前を持つ近い動物なのに、彼らの歯は全然違う形をしている。そのことにすごく興味を惹かれたし、上下ぴったりと重なり合う機械のような歯の構造も面白いと思った。

もしかしたら、「恐竜」は私

食べ物を噛み砕いたりすり潰したりするために使われる歯の表面の凸凹。上顎の歯には必ず3つの凸があり、そのうちのひとつはパラコーンと呼ばれています。

のなかで「古生物」界の代表的なスターというだけであって、恐竜学に進みたいわけではなかったのかもしれない。そんなふうにも考えてみては、負け惜しみかな、と自問してみた。寝て起きて、寝て起きて。科博の先生の講座、インフォーマルセミナーで講演してくれた先生の発表、早稲田大学の先輩の修論発表、いろいろ思い返して、自分が進みたい道は「研究」であると思えた。研究者を目指すなら、「恐竜」では生き残れない。

悔し涙の先に、新たに踏み出す道がかすかに見え始めた頃、恐竜は憧れのままでいいような気がした。

「たぶん」

2 だから、少しだけ背伸びしてみよう

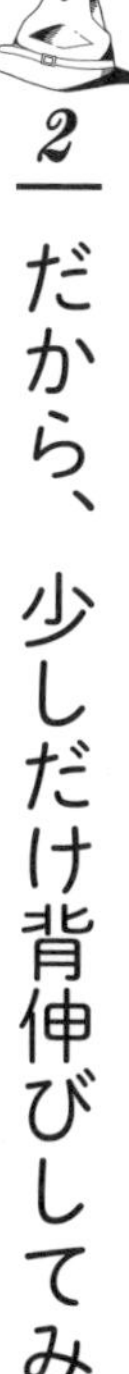

卒論で一瞬足を踏み入れた軟体動物化石の研究も面白く、興味のある世界ではあったが、冨田先生に同行して内モンゴルの調査に行かせてもらった時の経験は自分のなかでとても大きく、脊椎動物の進化について研究してみたい気持ちが徐々に膨らんでいった。なかでも、小さな哺乳類の化石に魅了された。

フィールドで出会った海外のトップ研究者たちの、知識と経験と勘によって石粒のような小さな化石を発掘する姿。そしてその小さな化石から、あっと驚く研究論文が発表され、新たな仮説が提唱（ていしょう）されるのだ。

「自分もこの世界のなかに入りたい」と、素直に思った。

その頃、私は大学院生になっていた。入学は、面接だけの内部推薦。しかも日本の大学院（少なくとも当時のシステム）では、修士課程にもなると授業はほとんどなく、単位も1年生のうちに取り終えてしまうし、よっぽどのことがなければ授業で落第することもなかった。
　一方で、海外の大学院ではどうやらそうではないらしいということを耳にした。古生物学者を目指すのは人生の大きな賭(か)けのようにも感じていたが、もはやここまでくると自分で退路を決めることも難しく、もし向いていないのなら誰かに肩を叩いてほしい、そのほうが次の一歩が踏み出せるのに、と相変わらず気持ちが行ったり来たりするなかで、そのシステムは、自分と相性がいいように思えた。それに、海外の大学院には古脊椎動物学を専門とする先生がいる。

「『研究』は憧れの世界。だからこそ、あと少しだけ背伸びをしてみたい」
「それなら、海外の大学院に留学したい」

　そう思ってしまったら、このまま日本にいても良い研究成果を出せない気がしたし、モチベーションも続かないと思った。それでは、アンモナイト化石の専門家でありながら快く私を受け入れてくれた、指導教官の平野先生にむしろ顔向けできなくなってしまう。それは嫌だ。

いろいろ考えた挙句、卒業を待たずに中退するという大胆な行動に打って出ることにした。

内部推薦で入った大学院を辞めるなんて言ったら、怒られるだろうか。ドキドキしながら平野先生に相談しに行くと、タバコを吸いながら豪快に笑って、「はっはっはー、そうですか、そうきましたかぁ。あなたのことだから、もう決めているんでしょう。行ってきなさい」とアッサリOKしてくれた。

教授のお墨付きの中退だ。私の中退は教授からお墨付きをもらったものなんですよと言ってまわりたいような、清々しい気分だった。気持ちがスッキリして、前を見据えられた。

いい思い出たくさんのまま、快く早稲田から送り出してくれた平野先生には感謝してもしきれない。偉大なアンモナイトの先生だ。両親に中退を事後報告すると、いかにもやりそうなことだと、こちらもズバリお見通しだった。研究室の同期の言葉を借りると、夏のフィールドから帰ってきたら急に私がいなくなっていたらしい。

3　古生物学者志望のフリーター、世界の古脊椎動物学会へ行く

そうと決まったら、大学院の留学先を決めなければならない。世界中にある留学先候補から実際に受験する大学を絞るのはかなり大変だった。

英語がまあまあ得意だったので、第一候補の国はアメリカにした。カナダだってオーストラリアだっていいじゃんという話なのだが、当時はまだ学生。寒すぎるのは苦手だし、紫外線でお肌が焼けるのも困る、というのも考慮の上だ。うん、行き先はアメリカがいい。冨田先生も行っているし、内モンゴルの発掘で出会ったロサンゼルス郡立自然史博物館の王暁鳴（ワン・シャオミン）先生も、もともとはアメリカに留学していた学生だった。早稲田大学のアメリカ西部巡検で訪れたグランドキャニオンを思い出し、「あそこに戻りたい」という気持ちになった。大学院も中退し、仕事もない。心に決めた目標を見据えてフリーターになったのだから、この賭けの行く先は自分で決めていかないと。

アルバイトを増やし、資金を少し貯めたところで、冨田先生が毎年参加している古脊椎動物学会（SVP：Society of Vertebrate Paleontology）のミーティングについて行くことにした。

この時点までに、行きたい大学院の候補を絞り込んでいた。冨田先生の内モンゴル発掘で見つかった小さな哺乳類の化石を研究することに決めていたので、研究材料は手元にあった。あとは良い指導教官を見つけるだけだ。

今でこそ、オープンアクセスの論文が増え、無料で専門性の高い論文をダウンロードすることもできるし、キーワードを検索すれば最新の論文情報に行き当たるが、2005年当時はそこまでインターネットが発達していなかったので、一歩踏み出すことも簡単なことではなかった。だから、冨田先生が知っている哺乳類化石の先生が書いた論文を読んで、論文の参考文献を書いた先生を調べていくという地道な方法で、なんとか探していった。

なかでも興味を惹かれたのが、ネズミと恐竜の研究をしている先生の研究室だ。この先生が、のちに私の指導教官となる、サザンメソジスト大学のルイス・ジェイコブス先生である。

ネズミの論文にも、恐竜の論文にも名前が載っていたので、先生の名前を見つけた時は心の中で「おーー!!」と叫んだ。これは運命以外に何と呼べばいいのだろう! 指導教官を選ぶ理由としては単純すぎて決して賢い選択とはいえないが、ここはもう、直感に頼るしかない。

冨田先生に、「ジェイコブス先生にメールを送りたいのですが、内容をチェックしてもらえませんか?」と伝えると、「なぁ〜んだ、あなた、一生懸命調べて、結局、僕の先輩に行き着いてるよ」ということで、私も「なぁ〜んだ」と真似をした。コネ的勝算を得て、一気に気持ちが楽になった。ジェイコブス先生とメールを交わし、会う約束を取り付けた。その約束の場がSVPのミーティングというわけだ。

学会とは、その分野の専門家等によって構成される学術的な集まりで、研究の成果を発表したり、論理的根拠の妥当性を議論するための発表の場として、定期的にミーティングを設けたり、学術雑誌を発行している。SVPのミーティングでは、アメリカを中心として世界中の古脊椎動物学者が一堂に集まり、非常に高いレベルの研究を発表する。魚類から両生・爬虫類、鳥類、哺乳類、全ての脊椎動物が研究対象であるが、圧倒的に多いのが恐竜の研究発表だ。芸能人やセレブたちが結婚披露宴を行なうような豪華な大ホールに、映画館にあるような巨大サイズのスクリーンが設置され、発表者はそこでスポットライトを当てられて発表をするのである。カッコイイ。高度な内容と早口の英語のせいで半分くらいしかわからなかったが、将来あの場に立つ自分の姿をイメージしながら、発表を聴いた。自分が発表しているところを想像するだけでドキドキする、そんなエキサイティングな学会なのだ。

この場にいていいのかなというソワソワした気持ちと、ここを堂々と歩きたいという少し浮ついた気持ちで、あの会場、この会場と、学会発表を聴いてまわり、コーヒー休憩では、ドシッと構えた恰幅のいい学者さんたちがコーヒーを飲んでいる様子をちょっと真似てみたりした。マムートのリュックを背負って、不安な気持ちを抑えながらチョロチョロ駆けまわっていた小さな日本人の女の子を想像すると、自分でも微笑ましくて笑ってしまう。

約束の日にジェイコブス先生と会い、サザンメソジスト大学へ行きたいことを伝えた。言いたいことをまとめて覚えていったつもりだが、ジェイコブス先生と面と向かった瞬間、頭の中がほとんど真っ白になっていることに気づいた。とにかく伝えよう伝えようと話して、ところどころで冨田先生のアシストに救われながら、なんとか好印象を持ってくれたのはわかった。ジェイコブス先生から「うん、アジアの学生は優秀だよ。前にいた日本人は本当に優秀で、私の自慢の学生なんだよ。だから、君も大丈夫だね」と言われた。日本人というだけで大丈夫だなんて、短絡的すぎるのだが、ここは乗っかってしまおうと思い、「イエス‼」と答えた。

ジェイコブス先生が自慢するほど優秀な、この日本人こそが、サザンメソジスト大学ジェイコブス研の黄金時代を築き上げた一人、小林快次（ヨシ・コバヤシ）だ。

SVPは、私にとって、ハリウッド映画の世界さながらだった。映画やドラマのロケ現場で「きゃぁ〜〜」と歓声をあげたいのをグッと堪えるエキストラさんみたいな気持ちだったと表現すれば、わかってもらえるだろうか。いつかあの世界に行きたいから、今は歓声をあげる時じゃない、そう心の中でつぶやいた。

片道切符で、アメリカの大学院を目指す

1 ONE-WAY TICKET TO ARIZONA（レンガ色のアリゾナへ）

アメリカの大学院入学に向けては、中途半端なことはできなかった。

私が行きたいサザンメソジスト大学はテキサス州ダラスにある私立大学で、地元テキサスではお金持ちのご子息、お嬢様が行く大学として名が通っていた。事実、キャンパス内を走っているのは高級車ばかりで、ベンツやＢＭＷは見慣れてしまうくらい。フェラーリやランボルギーニも見かけた。ハリウッド映画の世界観を体験できるようなキャンパスライフなのだ。そんな大学なので、当然のように学費が高く、とても払えるような額ではない。

サザンメソジスト大学への大学院留学を実現させるには、入学金・授業料免除のプログラムで入学することが自分への条件となった。それに毎月の生活費も自分で稼ぎたいので、ＴＡ（ティーチング・アシスタント）の仕事もやりたい。サザンメソジスト大学では大学院生向けの授業料免除プログラムが充実していて、ＴＡのお給料も毎月の生活に全く困らない額がもらえる。資金で悩まなくてもいいのはありがたい。もちろん、そのプログラムに合格しなければならないのであるが、外国籍の学生にもこのようなプログラムが充実しているアメリカは本当にすごいなと感心したし、今でもずっと好印象に捉えている。

２００５年の冬に渡米した。行き先はアリゾナ州ツーソン。

アメリカに乗り込み、まずはそこで英語を勉強することにした。持てるだけの荷物を持って、片道切符を握りしめてスタートする留学。うん、悪くない。アリゾナ大学の英語学校（CESL）に申込書を送り、アパートは日本にいる間に契約した。しばらくは帰国しないと決めていた。両親が羽田空港まで車で送ってくれたが、泣かないようにと、車の中でも空港内でもお互いに言葉数が少なかった。ハグをして、ゲートへと歩みを進めたその行き先は、関西国際空港。安い航空券だったので国内で1回乗り換えがあったのだ。降り立ってみると、研究室の友人である「ちゃんまー」が見送りに来てくれていた。「びーにゃ（=ちゃんまーだけが使う私のあだ名）、がんばってねぇ～」といつものちゃんまーだった。相変わらずのやり取りが面白く、国際線の中で時折思い出し、笑った。

本格的な大学院留学前のツーソンでの語学留学期間は、学業としてはロングバケーション期、そして人生としては大きな転換期になると信じた。

砂漠の町であるツーソンは最も雨が降る8月でさえ平均雨量が60ミリ程度しかない乾燥した場所で、道路脇には街路樹のような顔をしてサボテンが自生している。緑の多い日本とは大違い。日本も冬は乾燥するが、ここに来ればあれは乾燥にはあたらないと思った。ツーソンでは湿度が40パーセントを切るのは当たり前で、空気が乾きすぎていて洗濯物が数時間で乾いてしまったのには笑った。肌はカピカピになり、これでは一気に老けてしまうと焦ったのだが、人間の適応とはスゴイもので、しばらくすると肌に潤いが戻り安心した。

私が契約したアパートはベッドルームが4室、浴室が2室で、4人でルームシェアをする安アパートだった。キッチンがものすごく汚くて、小さい虫がたくさんいて、手やティッシュ越しにプチプチ殺して、なんとかキッチンが使えるようになったのだが、その後に、この虫はゴキブリの赤ちゃんだと教えられ驚愕した。携帯電話にもビックリだった。当時、日本では折りたたみの最新ガラケーを使っていたのだが、アメリカには折りたたみの携帯はなく、日本で10年以上前に売っていたような小さなモノクロ液晶の携帯が最新のものだった。当然、日本に直接電話することはできない。英語学校が始まるまでの1週間、ひと通りのカルチャーショックを経験すると、だんだんと心に余裕が生まれてきた。

英語学校が始まる前日は23歳の誕生日で、誕生日ケーキの代わりにキャンパス近くのスターバックスでバナナケーキを買った。寂しい！　早く明日になって英語学校が始まらないかな。

レンガ色のツーソンには、そんな自分転換期の思い出がたくさん詰まっている。乾燥地域なのでサウジアラビア人の留学生が最も多く、日本人は自分も含めてせいぜい5人ほどだった。英語学校という場所は、ほとんどの人が大学や大学院を目指して一時的に滞在する通過点であるので、今でも交流のある友人は数人ほどしかいないが、それでも当時の写真を見れば、名前も声も鮮やかに思い出せる。この自分転換期&ロングバケーション期は、自分史上イチバンの自己投資だったと思う。

そうそう、ほろ苦い思い出もひとつ。

私はリンゴが食べられない。ツーソンにいる間、胃がきゅーっとなってご飯が食べられなくなると、リンゴばかりを齧(かじ)っていた。好きなものを食べすぎると好きじゃなくなってしまうという悲しい現象が起きたようで、以来、リンゴが食べられないのだ。でもリンゴを見れば、サボテンばかりのツーソンを思い出す。

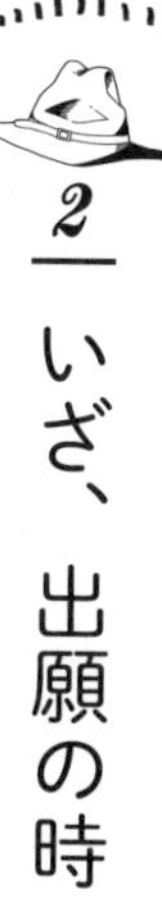

2 いざ、出願の時

英語学校にCESLを選んだのは大正解だった。

アリゾナ大学は冨田先生が卒業した大学で、冨田先生の先生であるリンゼイ博士が住んでいたこともあり、全く一人じゃないという気持ちでいられたのがまず大きかったと思う。

そしてなんと言っても、日本人のいない環境というのが、語学の上達を目指す自分にとても合っていた。ツーソンは日本からの直行便がなく、気候も日本と違うので、日本人がとても少ない。留学先では言葉の通じる日本人同士でかたまってしまって、日本にいるのと結局変わらない状況を生んでしまうというのはあるあるなのだが、それがなかったので英語に早く慣れていくことができた。

教育学で修士号を取得したロシア人の先生が担当してくれた英語文法とエッセイの授業は、論理的でわかりやすく、書くことについてはここでだいぶ力がついた。これがその後の大学院生活で非常に役に立った。スピーキングとリスニングについても、最初は会話のキャッチボールから要旨を理解する程度だったが、そのうち冗談も耳に入ってくるようになった。CESLではアリゾナ大学の学生がチューターとしてアルバイトをしていたのだが、その一人に同い年の日本人女性がいて、すぐに仲良くなった。たまたま同じアパートの上と下だったので、めーちゃんが帰宅して階段を駆け上がる足音が聞こえたら、勉強道具を持って上にあがり、私は英語を、めーちゃんは大学の勉強を……せずに、ガールズトーク。こんな生活を送って3か月が過ぎた頃、アリゾナ大学だけで有効な英語の試験をお試しで受けてみたら結果に手応えがあり、本番で必要なTOEFL（トーフル）の試験準備を本格化させた。

アメリカの大学院試験では、①大学の成績書、②推薦書（2通程度）、③自己推薦文となるエッセイ、④GREという大学院入学用の統一試験が必要で、留学生の場合はこれに英語力を証明するためのTOEFLが加わる。要求されるスコアは大学によって異なるが、有名大学になると応募する学生はいずれも学校の成績が良く、先生からも好印象を持たれていて、GREの点数も高いので、実は自

チューター
教授の補佐や学生への学習助言を行う者のこと。大学ではその学校の同科の大学院生が担う場合が多い。

己推薦文がイチバン重要ということだった。日本の大学院試験とはシステムが異なるのだ。

　私が志望していたサザンメソジスト大学は中堅クラスの大学なので、要求されるTOEFLの最低スコアは標準的であったが、授業料免除プログラムで「雇用」（そう、大学院は準プロフェッショナルなのだから！）されるには、中堅クラスの大学とはいってもトップクラスの大学の最低条件は欲しかった。自分にとってラッキーであったことは、サザンメソジスト大学では留学生の英語能力はTOEFLのみで判断され、GREの英語は必要なかったことだ。GREの英語教科は英語を母国語とする学生向けの「現代国語」の科目になるので、英語を母国語としない学生にとっては高得点を取るのは至難の技なのである。これは狙えると踏むと、4時間のTOEFL試験を耐え抜くためのテクニックも勉強に組み込み、本格的な舵取(かじと)りをした。

　自己推薦文を書くのはそんなに難しいことではなかった。というのも、当時日本には古脊椎動物学を専攻できる大学がなかったので、サザンメソジスト大学で

4時間も集中して試験を受けるなんて、想像しただけでおなかが痛くなりそうです……。

本格的な勉強をしたいのだという強い思いをそのまま素直に書こうと決めていたからだ。これから希望する方向性と目標、そしてなぜここで勉強することが自分の目標を達成するのに役に立つのかといったことを、気持ちを込めて書いた。インターネット経由で提出する前、すべての書類を何度も読み返し、息を止めて祈るようにポチッと提出ボタンを押した。

2通の推薦状は、古生物学者になりたいという気持ちをアカデミックな方面から後押ししてくれた二人の先生に頼んだ。科博の冨田幸光先生と早稲田大学の平野弘道先生だ。推薦状は推薦者から大学へ直接送付されるもので、基本的には応募者は中を見てはいけないものとされる。だから、詳しい内容は知らない。でも平野先生がこっそり少しだけ見せてくれた。

「早稲田大学をビリで入学して学年トップで卒業した学生の背景に、いったいどれだけの意志があったのか。挑戦したい研究環境として木村が貴大を選んだことを、貴大は幸運だったと思う時がくる」

平野先生は、まるまる4年分の私を見てくれていた。教育、研究、会議、学会など超大忙しの大学の教授で、ここまでカリスマ性があって、ここまで温かい先生はなかなかいない。

残念ながら平野先生はもう他界されている。早稲田大学・古生物学教室の超名物先生で、日本古生物学会の元会長でもあった先生は、2014年春に永眠された。それは私が国立科学博物館に就職する前年であった。アメリカにいた私の代わりに母がお葬式に参列してくれた。母にとっても忘れられない先生だ。実は、平野先生のウィットに富んだ推薦状をチラ見したのは、私だけでなく、アリゾナに遊びに来ていた母もだった。二人で目頭を熱くしたことを覚えている。先生なら私の就職を、タバコをプカプカふかしながら満面の笑みで喜んでくれただろう。あの、ケロヨンみたいなお顔をして。平野先生に就職の報告を直接することが叶わなかったことは、どうしようもないことだけれど、心残りである。

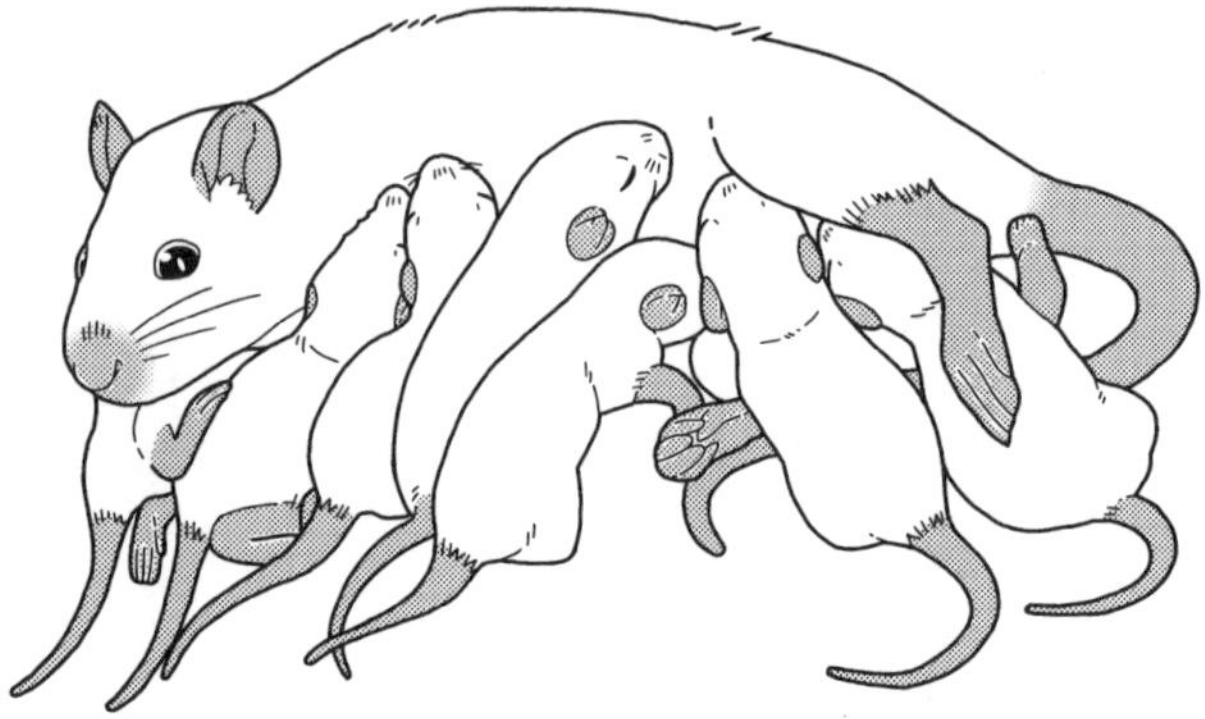

（ここで一旦、小休憩）

おっと。話し込んでいたらすっかり時間が経ってしまった。

そろそろ、ラットのお世話と血液採取の時間なので、この話の続きはまた明日。

と言っても、私は学部からポスドクまで飼育をしたことがなかったので、飼育は素人も同然だったりする。化石になった動物について知るには、生きている動物のことがわかっていないといけないということで、飼育を始めた。

こんなふうに、地学研究部に所属しながら動物の飼育もできるのは、いろいろ

ハムリー社の関先生、山中さん、その節はお世話になりました。

な分野の研究者がいる博物館のメリットでもあると思う。

ちなみに、飼育と血液採取のやり方は、研究を通じて知り合った先生たちからの直伝だ。

「では、助手たち、地下の飼育室に行く準備をしてくださいね」

第7章 ジェイコブス研究室へようこそ

1 条件付きの大学院合格

TOEFLのスコアがサザンメソジスト大学の基準をクリアし、そろそろGREの勉強を始めないとなぁと思っていた頃、大学から薄い封筒がアパートに届いた。TOEFLは受験するとそのスコアが自動的に指定した大学に送られる仕組みになっていたので、スコアを受け取りましたよという通知かと思って、無造作

大学院生時代

修士＋博士

に開けて中身を取り出した。

合格通知だった。

ひえー、アメリカってこうやって届くのね。ダイレクトメールばりにビリっと破ってしまった……。

最初に読んだ時は全く実感がなかったが、何度も読み返していくうちにうれしさが込み上げてきた。もともと翌年の1月（春学期）からの入学を目指していたわけだが、留学した年の9月（秋学期）から入学できることになった。

●授業料は免除。
●秋学期に英語を履修（りしゅう）すれば、TAとして雇用することを考慮する。
●秋学期中にGREのスコアを基準点までとること。

条件付き入学だ。ＴＡ（ティーチング・アシスタント）になるには留学生用の英語の授業を履修しなくてはいけないそうで、入学したての秋学期は、先生の研究を手伝う「リサーチ・アシスタント」として雇用されることになった。お給料は確か、月に９００ドルだったから、10万円を切るくらい。大卒の平均初任給には到底及ばないが、私が古生物学者の卵として最初に稼いだ大事なお金だ。

申し込んでいた6月からの英語学校の授業をキャンセルし、レンガ色のアリゾナ州に別れを告げ、カウボーイの街、テキサス州ダラスへと引っ越した。

2 ジェイコブス先生との握手に誓う

新しいアパートの準備ができるまで、ダラスに着いてからの最初の1週間はジェイコブス先生のお家に泊まらせてもらうことになっていた。初めて会う大学

月に９００ドル
ＴＡのお給料は、大学によっても学部によっても異なるが、筆者の場合は正式な入学が決まると月１２００ドルになり、その後は徐々に昇給。卒業時には月１８００ドルになった。いただいたお給料に対して、自分は何を貢献できるのかということを強く意識しながら大学院生活を送ることができた。

院の先輩がダラスの空港まで迎えに来てくれて、ジェイコブス先生のご自宅で降ろしてくれたのだが、そこまでの段階ですでに口から心臓が出てきそうなほど緊張していた。ところが、ジェイコブス先生は出張中とのこと。笑顔がチャーミングな奥様と先に打ち解けた。数日経って、ジェイコブス先生が帰宅した。

厚くて太いシワシワの手を差し出しながら、アメリカ南部訛りのおおらかなしゃべり方で「サザンメソジスト大学へ、ようこそ」と、改めて迎えられた。この短い言葉には優しさと強さがあり、ジェイコブス先生のカリスマ性が伝わってきた。ジェイコブス先生の手を握り返し、「しばらくは日本に帰らないぞ」と誓った。

アメリカの大学院では、大学教員と大学院生がとてもフレンドリーに話す。もちろん、英語には丁寧語はほとんどないし、映画の中でも二まわりほども離れた登場人物がフランクに話している場面が描かれる。でも実際にその様子を見た時は、すごく驚いた。

そんなアメリカでも、学校の先生と生徒という間柄においては別で、生徒が先生を呼ぶ時は「ミスター」や「ミス」などの敬称をつけ、苗字で呼ぶ。高校まではそれが常識で、学部でも低学年なら苗字で呼ぶ学生が多い。博士号を持っている大学教員なら「ドクター」なので、ルイス・ジェイコブスなら、「ジェイコブス先生」または「ジェイコブス博士」となる。しかし、大学院生は違う。ほとんどの大学院生は、教員を苗字ではなく名前で呼ぶ。「ジェイコブス先生」ではなく、「ルイス」なのだ。私のまわりの大学院生もジェイコブス先生のことをルイスと呼んでいた。私にはちょっと抵抗があり、博士号を取るまではジェイコブス先生と呼ぼうと思っていた。結局、その呼び方ですっかり慣れてしまって、博士号を取った今でもジェイコブス先生（Dr. Jacobs）と呼ぶことがあるけれど。

アメリカの大学院生は、「準プロフェッショナル」であるという意識が日本の大学院生よりも強い。それは勉強をしながらTAやリサーチ・アシスタントとしてお給料をもらっていることも影響しているのだろう。大学教員も「準プロフェッショナル」という意識で大学院生に接する。教員にとって、大学院生とは

自分のまわりの人たちを見ると、大学院生は大学生の延長というイメージが強い気がします。大学院に進んで、博士号を取るために切磋琢磨する学生もいれば、研究しながら就職活動に励む学生もいます。

指導をする相手というだけではなく、いつか同僚になる若い研究者なのだ。

日本との違いとしてもうひとつ特徴的なのは、研究者カップルが多いこと。日本では研究者カップルが同じ大学で働いたり、共同で研究室を運営することは極めて珍しく、私の知る限り古生物学においては現在までにそのような事例は存在しない。近しい間柄の人が同じ職場で仕事をすると不正を生みやすいということなのだろう。一方、アメリカでは、カップルで同じ大学で働くことも、共同で研究室を運営することもごくごく普通である。それはカップル側と大学側双方にメリットがあるからだ。

大学側としては、研究者カップルを共に雇えば、彼らがより良い環境を求めて転職する可能性は少なくなるだろうし、場合によっては、ヘッドハンティングされる可能性がある有能な研究者をより安く雇用できたりする。研究者側としては、同じカップルで雇用されることによってアカデミアというレアな仕事をしながら、同じ屋根の下で一緒に暮らすことができる。アメリカは大きな国なので、州を跨い（また）で別の機関に所属すれば、夫婦が離れて暮らさなくてはならなくなるし、日本のように頻繁に行き来もできない。それは結構深刻だ。

実はジェイコブス先生の奥様、ボニー・ジェイコブス先生も、ジェイコブス先生と同じ学部で教員をしている植物化石の研究者である。ミスター&ミセスジェイコブスは共に人生の教科書のような人たちで、彼らみたいな研究者になることが私の人生の目標になった。

3 必死で授業についていく

ゼロからのスタートでお給料にも余裕があるとはいえなかったので、新居となる家具なしのアパートには最低限のものだけを置くことにした。プラスチックの留め具にワイヤーの板を挟み込んで組み立てるラックをタンス代わりにし、あとはベッドと勉強机。これならどこかでチャンスがあれば家をたたんですぐにでも向かえるだろう。ソファもダイニングテーブルもないが、テレビだけは英語の勉強にとカーペットに直置きした。カーペットの上といっても、日本のように靴を脱いで上がるカーペットではない。前に住んでいた人もその前の人も土足のまま上がっていたであろうカーペットだ。アリゾナの生活で少しは慣れたとはいえ、家中が土足で踏まれているというのは、家にいながら、家にいないような気分だ。仕方がない。

この時期、イチロー選手の活躍に関する記事がたびたび目に留まった。野球のイチロー選手が自分の仕事を支えるバットにこだわりを持っているという記事を読み、イチロー選手が武士の刀のように扱うバットは、自分にとっての何だろうと思った。すぐに浮かんだのは、黒ペンだ。ただの黒ペンではなくて、シグノ0・38と呼んでいる

ユニボール シグノの極細シリーズ。この黒ペンを持つと気持ちが入るので、今でも愛用していて、研究室に大量にストックしている。授業を受ける時も論文を読む時も、このペンを持って、よし戦うぞという気持ちになった。気持ちだけはイチロー選手と同じメジャー級だ。

……が、早々に出鼻をくじかれた。最初の年は授業数を抑えて、合格条件クリアと研究の勉強のために時間を割こうと思っていたのだが、そんな余力は一切なく、睡魔（すいま）が襲うギリギリまで勉強してようやく空いた時間に研究のための論文を手に取ると、そのまま寝てしまう毎日だった。

授業が始まる前に予習と意気込んで読んでいた教科書はただの基礎の基礎で、それだけでは足りない。毎週配られる数本の論文を読まなくては、テストは到底解けるものではなかった。それに加えて、小テスト、学期末レポートとして小論文を提出しなくてはいけない。小論文では、授業内容に沿ったテーマを自分で決めて、三十数本の論文を読み、レビューのようにしてまとめる。自分のデータを加えてみるのもいい。優秀な学生の場合、学期末レポートをベースにして科学雑誌に論文を投稿する人もいるようだった。

復習と次の授業のための論文にさっと目を通すだけで精一杯で、とても予習などできないことにすぐ気づいた。論文にさっと目を通すというと、コーヒーを片手に優雅に読むようなイメージを持たれるかもしれないが、そうではなくて、論文を読むということにたどり着いた時には体力の限界が来て、そのままベッドに倒れ込むというほうが正しかった。

「そうか、君は日本人か。ヨシ・コバヤシは知っているか？」と、地球科学の授業を教えてくれていたコワモテの学部長から聞かれた。「もちろん知っている」と答えると、「じゃあ、君もヨシ・コバヤシくらいできるね。君がこれからどうなるか見ているよ」と言われ、博士過程まで意識せねばならなくなった大きすぎる目標が立ちはだかった。学期末レポートをベースに論文を書いてしまった学生というのが、ヨシ・コバヤシらしいのだ。

セミナー形式のクラスでは、古典的な論文から最新論文まで週に3〜4本ほどを読み、授業で議論する。その輪に加われなければ、当然教員からの評価は低い。

セミナー形式のクラスは最後まで苦手だった。相手が自分に向かってしゃべっている時には、英語は文字で起こせるくらい理解できるのだが、意見に意見を上書きしながら進んでいく「議論」は完全に理解することが難しく、議論の流れを追うだけで精一杯。とても誰かの意見にかぶせて自分の意見を述べるまでには至れず、事前に考えてきた意見をいいタイミングで発言し、内心で「ほっ」とするのが関の山だった。相手が自分のほうを向かないでしゃべっている会話というのは、レストランや居酒屋で隣のテーブルの会話を聞いているような感じで、日本語なら何気なくできてしまうことが、こんなにも難しいものだったとは。人生で一番勉強したのはいつかと聞かれたら、間違いなく修士課程1年生と答えるだろう。

4 TAは本業のように

それでもどうにか、1学期の終わりまでには合格条件をクリアすることができ、いよいよ正式にサザンメソジスト大学への仲間入りを果たした。

TA（ティーチング・アシスタント）、つまり「教育補助」とでも訳すべきこの仕事の内容をイメージすると、実験実習など教員一人では目が行き届かないような時に補助的な役割を担当する大学院生のアルバイト、くらいに思われるだろう。早稲田大学でも、大学院の先輩がTAとして、化学実験を補助してくれたり、野外調査で監督してくれたりした。

アメリカ式のTAは、ちょっと違う。理系科目には実験実習が付きもので、実験実習を担当するという点は日本と変わらないのだが、アメリカ式のTAは文字通り、その全てを担当するのだ。大学にもよると思うのだが、自分が経験したのは、教科書選定、実験内容の決定、試験問題作成、成績付けの全てである。

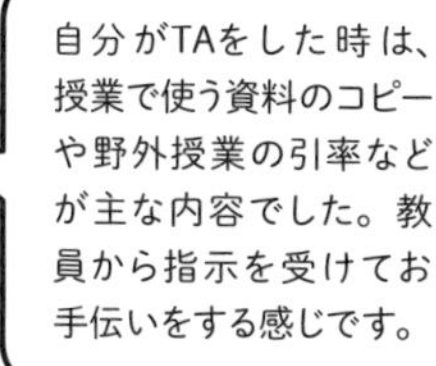

担当教員と相談しながら進めるとはいえ、実験実習の全てを任され、それが科目全体の成績にも反映されるのだから責任は重大だ。そのためか、ＴＡは学生のことを「マイ キッズ」と呼ぶ。ぱっと直訳するならば、「私の子供」。意訳すると単に「学生さん」ということだが、ＴＡは「キッズ」の面倒をみる責任者としての自覚を持っていなければならないことを、この呼び名からも感じてもらえるだろう。ちなみに担当教員も自分の授業の学部生のことを「マイ キッズ」と呼ぶが、大学院生相手にはキッズとは呼ばない。大学院生を準プロフェッショナルとして見ていることも、こういった呼び方の違いからわかる。

自分が責任者であるので、ＴＡの仕事は時に自分の授業や研究よりも優先だ。「明日、私もテストを受けるのになぁ、トホホ」と思いながら、「マイ キッズ」の答案の丸つけをしたものだ。大学院にいる間に、基礎地球科学・解剖学・海洋学の実験実習を担当した。新しい科目を担当する時は、かなりの時間を担当実習に取られてしまうし、実習の欠席者が出れば別の日に補講しなければならない。ＴＡはアルバイトではなく、まるで本業のようだった。自分の課題と担当実習と

研究の下準備をどうにか両立させ、睡魔と戦いながら大学院生活を送っていたら、
早稲田大学の同期が無事に修士号を取得した。

みんなの背中を追いかける番になった。

第8章 研究、始まる

1 アメリカにいながら中国に「短期留学」

サザンメソジスト大学に入学してから丸3年かけてようやく修士号を取得することになるのだが、最初の1年は授業と研究の基礎勉強だけであっという間に過ぎ、本格的に研究に取り掛かるようになったのは、修士2年生になってからだった。冨田先生が中国・内モンゴルで行なっている発掘の成果物のうち、中新世前

中新世
新生代の7つある時代区分のひとつで、約2300万年前〜約530万年前。

期の化石産地（約1800万年前～約1700万年前）から見つかったトビネズミ科オナガネズミ亜科の化石を研究対象とすることに決めた。

トビネズミは、砂漠などの乾燥地帯に今も子孫が繁栄する小型齧歯類である。大きな目と長い足、カンガルーのようにピョンピョンと跳ねまわる姿がとてもかわいい。もっとも、中新世前期には砂漠に適応したトビネズミ亜科はまだいなかった。その代わりに、この時代に生息していたオナガネズミ類の化石種は、森林で暮らしていたと考えられている。森林のような湿潤の環境にいた種から、やがて乾燥した地域へ適応する種が誕生したという、そのドラマチックな進化の旅に魅かれた。

中国の標本を持ち出すことはできなかったので、化石を手に取りながら研究するには標本を管理しているIVPPを訪ねる必要があった。なるべくなら長期滞在して、少しでも長く化石を観察したい。

学生だから時間はあるが、お金はない。幸い、研究所のある北京の物価は当時、日本の半分以下だったので、安く滞在するのは可能だった。

そこで思いついたのが、ダラスのアパートを引き払って北京の激安宿泊所に住んでしまおう作戦である。これなら、ダラスのアパート代を北京の宿泊代にそのまま回せる。奨学金のなかでやりくりするには、これしかない。

思い立ったが吉日とばかりにアパートを解約し、電子レンジやマットレスなどの最低限の生活用品を大学院の自分の研究机の上に積み上げ、下に押し込み、同期に「夜逃げか？」と笑われながら、準備を整えた。夏季休暇の間を目一杯、北京で暮らせるようになった。

ＩＶＰＰの研究所に到着して挨拶まわりを終えると、どっと疲れが出てきたが、先生はみんな和やかでほっとしたのを覚えている。お世話になるのは内モンゴル調査の中国隊のリーダーで、東アジアの小型哺乳類化石研究で著名な邱鋳鼎（チュウ・ズーディン）老師だ。それに、邱老師の直弟子で当時博士課程の学生だった李強さんにも教えを請（こ）

うことになった。

机と顕微鏡を間借りし、自分の「オフィス」が完成すると、邱老師から「これだよ」と化石が入ったプラスチックケースを渡された。私の修士課程の研究テーマであるオナガネズミ類の化石が入った、まさに宝箱だ。作業は、まず細い虫ピンと絵の具の筆を使って、歯の溝に入り込んだ堆積物を綺麗に取り除くところから始まる。コツは李さんが教えてくれた。道具によってやりやすさが大きく異なるということもここで学んだ。虫ピンも細すぎると堆積物の硬さに負けてしまうし、太すぎると歯の谷に入らない。筆も同じだ。間違えて歯を破損した場合、水の表面張力を利用して破片同士をつなぎ合わせ、そこに薄めた接着剤を垂らすのだが、この時、合成繊維の細い筆だとやりづらい。1ミリ以下の破片同士をぴったりとくっつける技術は邱老師から直伝で習った。贅沢だ。夏休みが明ける頃には歯のカタチからグループ分けしていくコツもつかめ、参考文献と照らし合わせながら、種の同定作業も進めることができた。

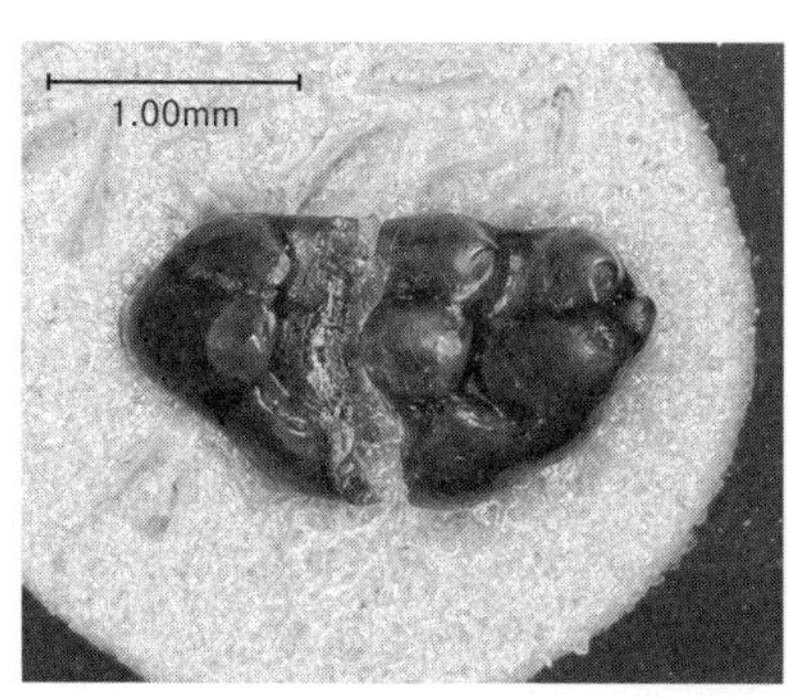

破損してしまった小さな化石を修復する技術も身につけた。邱博士直伝。左は修復前、右は修復後。

研究所から徒歩15分ほどの場所にあるユースホステルは、二段ベッドが3つある6人部屋で、部屋の開閉を受付に頼む古いタイプの作りであった。寝返りが打てないくらいの狭いベッドに敷かれた薄いマットレスはほとんど無意味で、寝ているとベッドの床が背中に当たって痛く、朝の目覚めはサイアクだった。それでも一泊500円もしない部屋はありがたい。

ルームメイトには同じように長期滞在する学生がいたので、紙に漢字を書いて交流した。一緒に食事をしたり、観光したり、楽しかった思い出しかない。たった2つを除いては。

そのうちのひとつが、トイレとシャワーの問題である。男女別々ではあるものの、1つしかない共同トイレと、これまた1つしかない共同シャワーが同じ空間にあり、むしろ、シャワーのノズルがトイレ空間にあるといったほうが表現としては適切だったと思う。シャワーを浴びる時は厚底のビーチサンダルを履き、なるべく息をしないように工夫するのが精一杯で、このトイレ的シャワータイムだけは嫌で仕方がなかった。

もうひとつは、食中毒。ここに滞在中、「人生で最もつらかったことランキング」堂々1位に輝くほどの食中毒になり、このトイレに倒れ込んでしまったことは消し去りたい記憶である。結局、トイレ事情というのは、昔の中国生活を語る上で外せないのかもしれない。このユースホステルは、今は完全に取り壊されてしまった。トイレの思い出も大事にすることにしよう。

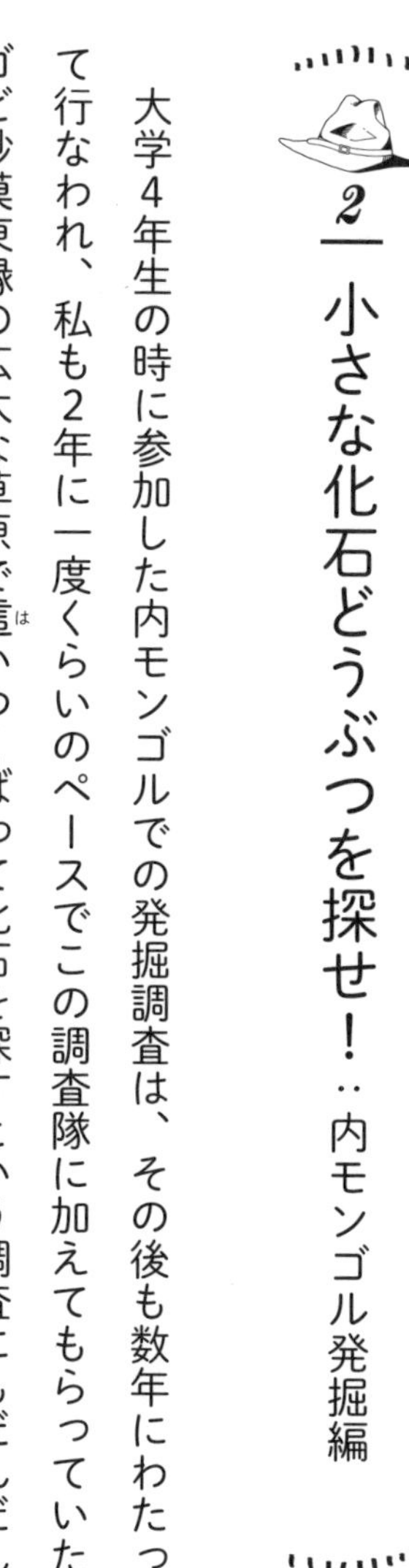

2 小さな化石どうぶつを探せ！：内モンゴル発掘編

大学4年生の時に参加した内モンゴルでの発掘調査は、その後も数年にわたって行なわれ、私も2年に一度くらいのペースでこの調査隊に加えてもらっていた。ゴビ砂漠東縁の広大な草原で這(は)いつくばって化石を探すという調査にもだんだんと慣れ、自分で考えて行動できることが増えてきた。

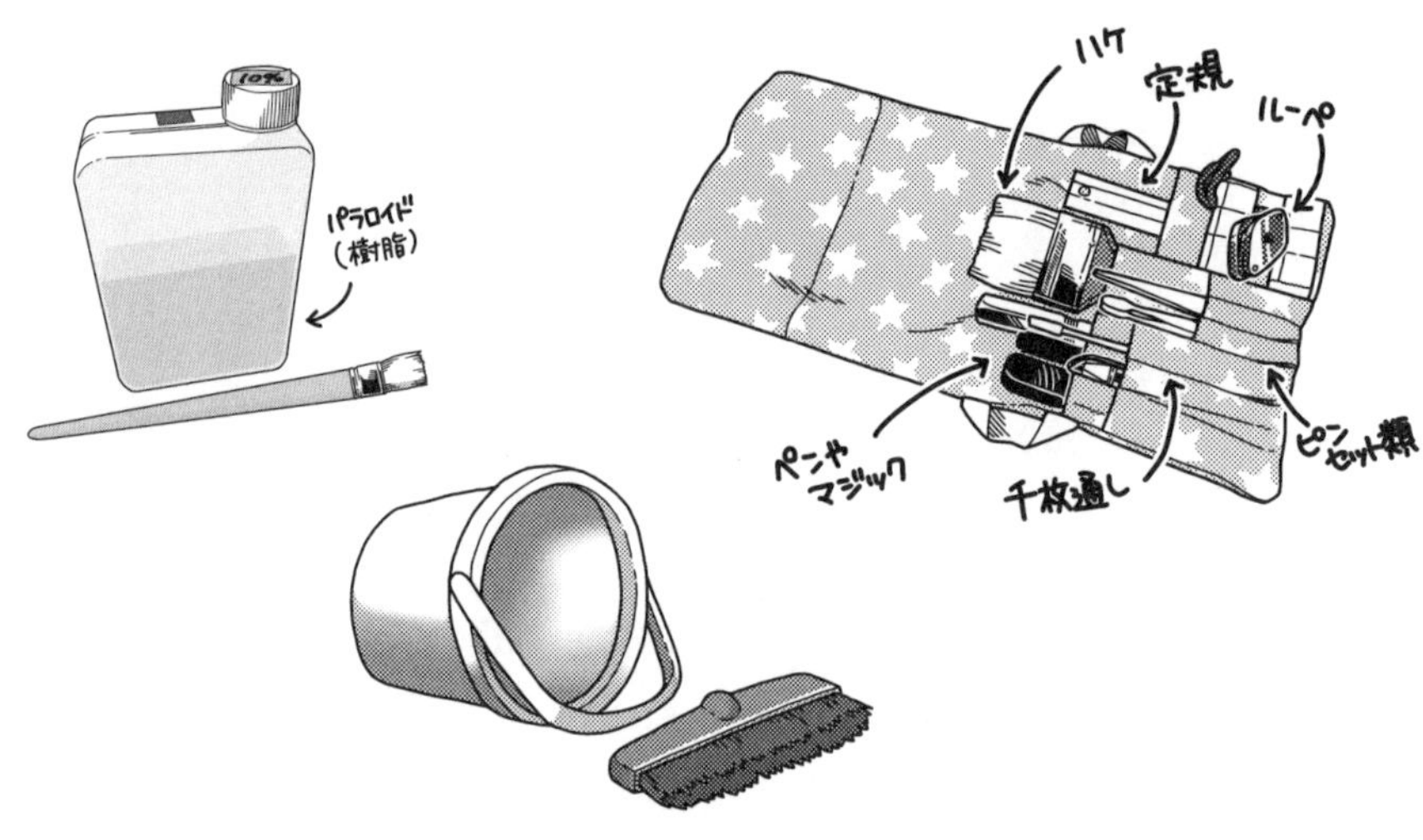

ターゲットが大きな動物の化石の場合には、地表に一部顔を覗かせた骨を見つけると、堆積物の中からその骨を掘り出すべく、(堆積物が硬すぎなければ)千枚通しやナイフで化石のまわりの堆積物を取り除き、ブラシで綺麗にするといった作業が行なわれる。その際、化石がもろく、壊れてしまっていたら、瞬間接着剤でくっつけたり、パラロイド樹脂を溶かした溶液を刷毛で塗って補強する。まさに『ジュラシック・パーク』さながらの発掘だ。

しかし小さな動物の化石ではそうはいかない。小さな動物は体が小さい分、その体を支える骨も小さくて華奢である。化石になる過程でこのような小さな骨は割れて、元の形が判別できなくなったりする。また、捕食(ほしょく)などによって若い個体が死んでしまう確率も高いが、若い個体は骨がまだ成長段階にあるため、骨端(こったん)が骨幹(こっかん)に癒(ゆ)合(ごう)していなかったり、隣り合う骨同士もくっついていないことがあり、骨がバラバラになってしまうのだ。事実、小さな動物の頭の骨が化石として残ることはとても珍しい。石板のように地層に閉じ込められる場合以外では、せいぜいメクラネズミのように地中に暮らすものや、カピバラやビーバーなどのように大きな体格のものだけである。

一方で、リン酸カルシウムの大きな結晶によって形成されている歯はとても硬くて頑丈なため、砂や礫(れき)と一緒に地層中に埋まり、比較的化石として残りやすい。そのため、小さな動物の化石として発見されるものは、そのほとんどが歯の化石である。小さな動物の歯なので、これまた小さい。体重200グラム程度の手のひらサイズの齧歯類で、歯1個の大きさはせいぜい2ミリ程度。歯の種類によっては1ミリに満たないものまである。

こんな小さな歯を、ひたすらに這いつくばって探しても埒(らち)が明かない。というよりも、砂粒に紛れてしまって探すことができない。肉眼で探せるサイズはせいぜい1センチくらいまでである。このため、歴史的にみても、この分野の研究はあまり進んでこなかった。小哺乳類化石の研究が活発化したのは1950年代以降、それまでプランクトンの殻や微化石の研究で使われていた「スクリーンウォッシング法（水洗ふるい選別）」という手法が本格的に導入され、小さな歯の化石が効率よく見つかるようになってからだ。

小さな歯の化石を発掘する際に使うのは、スコップと土嚢袋、そしてスクリーンウォッシング用のふるいだ。ナイフや刷毛は使わない。

露頭に着いたら、まずは地表面をよく見ながら歩きまわる。私たちが調査に入っていた内モンゴル地域では、地層はほとんど水平で、傾いていても数度程度。つまり地層表面を同じ標高で歩くと、同じ地層を水平に歩いていることになるし、高いところに登れば、積み重なった上のほうの地層（＝より新しい地層）を歩いていることになるし、低いところに下りれば、より古い地層を歩いていることになる。こうしてくまなく歩いていると、目が慣れてきて、砂礫で覆われた地表面

～（水洗ふるい選別）」という手法が本格的に導入され

［参考文献］河村善也（1992）「小型哺乳類化石標本の採集と保管」哺乳類科学31:99-104

から少し大きめの歯の化石を見つけることができるようになる。

ビーバーの歯は1センチ近くあるから比較的目につきやすい。そのうちに3ミリくらいのナキウサギの歯なんかも見つかり始める。そしたら、GPSで地点をマークし、自分が地層のどのくらいの高さにいるのか(例えば、「赤色の地層と緑色の地層の境界から200センチ上部」など)を記録しておく。このデータをみんなで持ち寄れば、まだ名前のない地層のどこから化石が多く見つかるのか、その全体像が見えてくる。

化石が見つかりそうなエリアにアタリをつけたら、地層表面の風化した堆積物を土嚢袋に詰めて回収する。本来ならば、地表面で風化している部分は現代の動物遺骸や時代の違う化石が混じっている可能性も高いので避けたほうがいいのだが、この調査エリアは地層がほとんど水平なので、水平に混ざりものが起きてもそれほど問題がないと判断できた。また、ボロボロとほぐれる堆積物を使うことで、このあとに行なう作業も断然ラクになる。時間も設備も限られているなかで、最大限の成果を出すには、このボロボロ具合がちょうどよかった。

堆積物の入った土嚢袋の重さを計測したら、次はスクリーンウォッシングだ。米粒かそれよりも小さな化石が、砂粒や小さな礫などとともに粘土質の堆積物の中に入っている。この中には、地表面に根付いていた植物の根や、内モンゴルの草原で遊牧されているヤギ●や羊などの糞（ふん）も含まれる。

小さな哺乳類の化石はとても小さいが、泥の粒子よりも小さいということはありえないし、大きめの礫サイズであることもまずない。だから、堆積物ごとふるいにかけて、このぐらいの大きさの粒を濃集すれば、効率よく化石を集めることができる。

泥は粒子が細かいせいで乾くと団子状の塊（かたまり）になるので、これをバラバラにほぐしてからふるいにかける。泥に多く含まれている有機物を分解するような薬品につけてバラしてからふるいにかける方法もあるが、調査エリアの堆積物はそれほど固くないし、あえてボロボロのところから採ってきているので、水をかければ粒子同士が離れてくれる。泥団子の塊の中に化石が入っていたとしたら、ふるいで救出できるわけだ。

網目の大きさの異なるふるいを3段に重ねて、一番上の大きな目のふるいに堆

積物を入れ、水をかける。水で洗うので「スクリーンウォッシング法」という。目の一番小さな3段目のふるいから出てくる水は、泥水のおかげで赤茶色をしていて、不要な泥が水とともに流れ出ていることがわかる。水が濁(にご)らなくなったら終わりのサインだ。

乾燥地帯である内モンゴルで厄介なのが、水の問題である。季節ごとに移動しながら暮らしている現地のお家の近くには井戸はあるが、水位も低く、そもそも家畜のための水なので分けてもらうわけにはいかない。少し大きな町でも水が貴重であることは変わらず、流しっぱなしにすることなどできないのである。

そこで、調査チームでは、雨水が溜まってできる一時的な水たまりを利用していた。そこには家畜動物も来るので、水べりには羊のコロコロした糞がたくさん落ちているし、カブトエビがぴちゃぴちゃしているのが見える。ポンプで水を汲み上げた泥混じりの水は、水たまりへと返す。ふるいには糞やカブトエビがたくさん入ってくるので、時折追い払いながらスクリーンウォッシングをしていた。

それでも現地でスクリーンウォッシングする意味は大きい。こうして濃集すれ

歩きまわってアタリをつけると、スクリーンウォッシングのための堆積物を土嚢袋に詰める。

ば、トラック1台分の堆積物も自家用車のトランク2台分くらいになり、効率的に研究所に持ち帰れるのだ。まあ、バラバラになったカブトエビが混ざってはいるのだが……。

スクリーンウォッシングの様子。水作業なので暑い日はちょうど良いが、地道な作業だし、砂粒のせいで手も荒れる。

カブトエビ。ポンプの中に入り込んでしまうため、ふるいの目にだんだんとたまってしまう可哀想なやつ。

3 小さな化石どうぶつを探せ！：ラボ編

ラボに戻ると、苦労して持ち帰った「化石が濃集している（はずの）堆積物」をもう少し丁寧に洗い、乾燥させ、そうして一粒一粒がサラサラと滑るようになると顕微鏡を取り出して、その中から化石を拾う作業に入る。顕微鏡はハイスペックなものじゃなくても、6倍から20倍、50倍程度まで拡大できれば、化石は見つかる。でも、長い時間使うなら、やっぱり良いレンズの顕微鏡がオススメ。私の愛用の顕微鏡は、すでに絶版となっているウィルド社のＷｉｌｄ Ｍ５だ。持ち運びができる、かわいい相棒。冨田研のアルバイトをしていた時に先生が持っていたものを使わせてもらって、恋に落ちるレベルで気に入ったので、自分でも欲しくなってオークションでゲットした。古生物学者の間では今でも人気の顕微鏡である。

顕微鏡で粒を覗きながら化石だけを拾い上げていく。この作業を、一般的に

「ピッキング」という。

同じような粒粒をずっと見ているので、だんだんどこらへんを見ているのかわからなくなってくるが、秘策がある。方眼紙のようなマス目が描かれたシャーレを使って、マスごとにチェックするのだ。もっと小さな化石を扱う微化石屋さんでは、これを使うのが常識らしい。

化石を見つけたら、ピンセットでそっと取る。歯の化石は硬く、潰してしまう心配はないのでしっかりつかんでも割れたりはしないが、うまく挟まないとはじいて飛ばしてしまう。そうなると机のまわり、椅子のまわりを大捜索することになるので注意しないといけない。

拾い上げた化石は、歯の山と山の間の谷に堆積物が挟まっており、まだまだ綺麗とはいえない。虫ピンを使って谷に挟まったゴミをほじくり、絵の具用のブラ

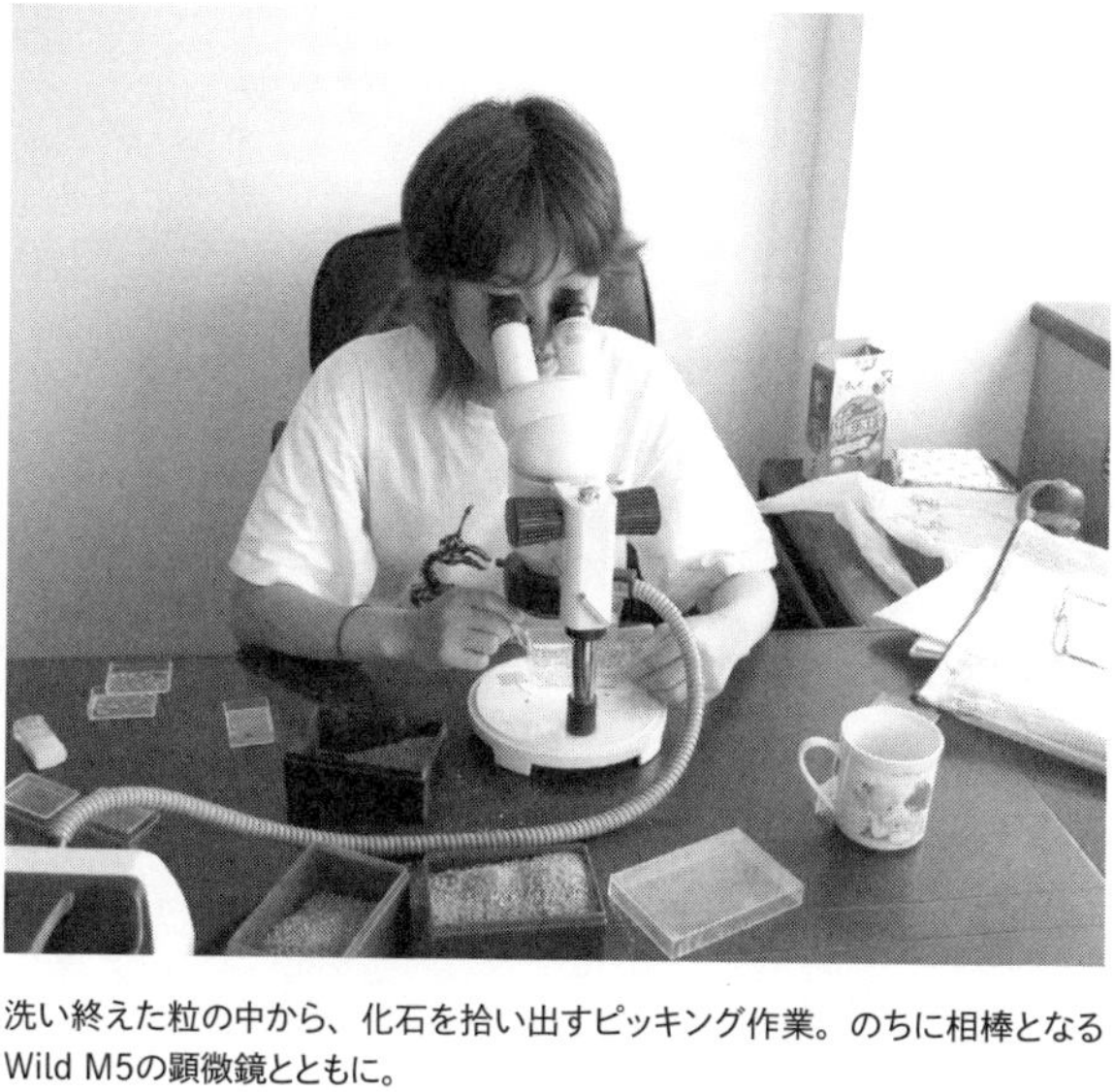

洗い終えた粒の中から、化石を拾い出すピッキング作業。のちに相棒となるWild M5の顕微鏡とともに。

シで丁寧に掻き出していく。その様子は、まるで化石の歯医者さんだ。

このようにして発掘された小さな化石は、大きく2つの方法で保管される。

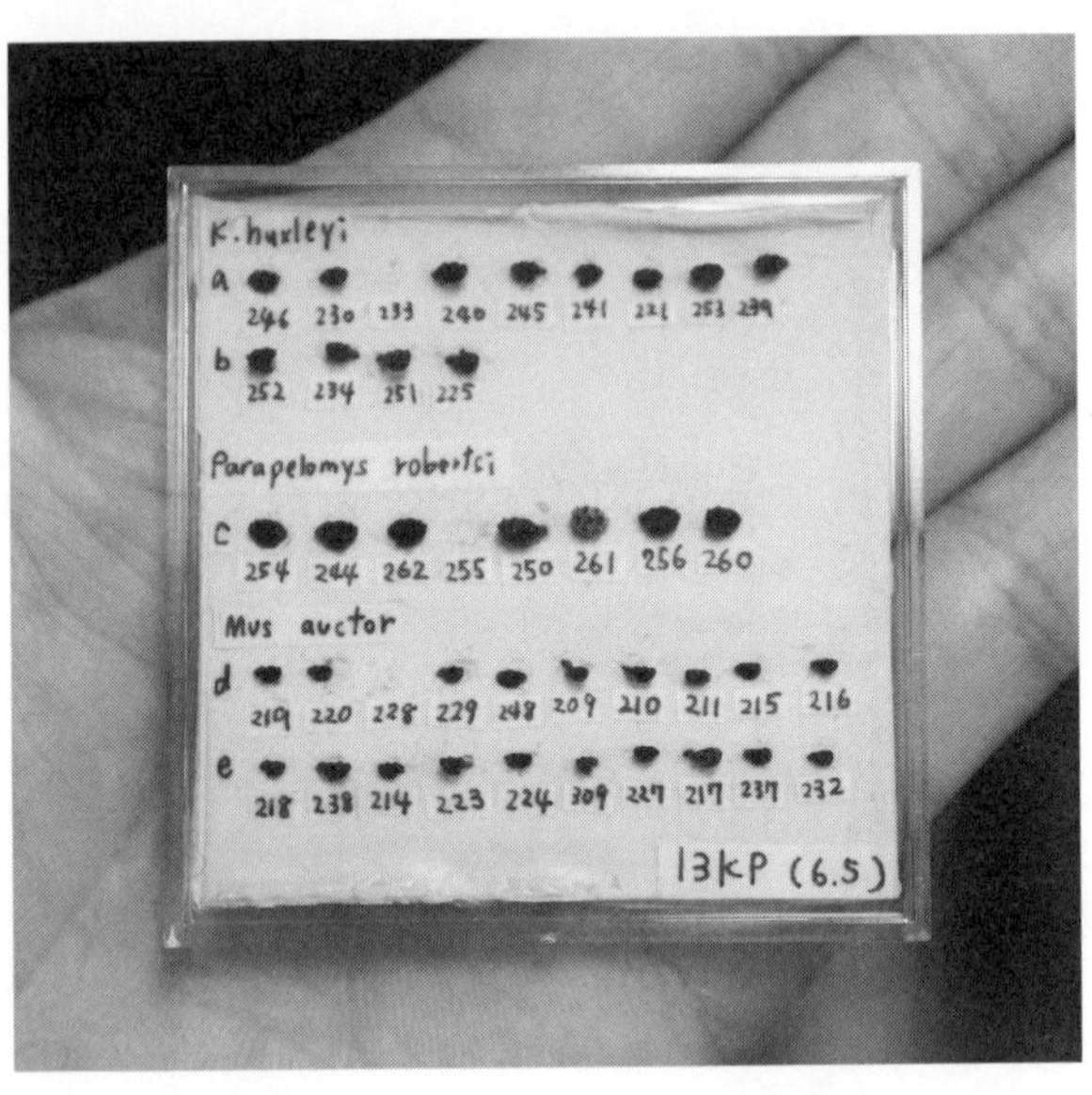

練り消しのようなゴムの上に置かれたパキスタンのネズミ化石。

ひとつは、ケースにゴム製のシートを敷き、その上に載せて保管する方法。ケースの中にたくさんの化石を入れられるのでスペースも取らないし、標本を単独で取り出すことが容易なので、顕微鏡下でいくつかの化石を直接見比べたい時にも有効である。しかし、ゴムは時間が経つとどうしても劣化してしまい、数十年単位の長期保存には向かないようだ。

もうひとつは、コルク栓のガラスバイアルの中に保管する方法である。といっても、バイアルの中に化石をそのまま入れるのではなく、コルク栓の内側に虫ピンをさし、その虫ピンの頭の上に化石を接着させる。これはアメリカでよく採用されている方法で、博物館のキャビネットを開けると、ドリルで穴を開けた木の板の上に、ガラスバイアルが綺麗に並んでいる光景が見られる。この方法だと、少なくとも30年以上保管できることがわかっており、長期保存という点においてはとても優れているが、バイアルを開閉する時に化石をはじいてしまったり、コルク栓が邪魔して顕微鏡下で標本を並べて観察することができないなど、欠点もある。

化石は研究材料であり、次世代へとつなぐ財産でもあるので、研究のしやすさか、長期保存か、どちらに重きを置いて保管するかは悩ましいところだ。サザンメソジスト大学では後者の方法をとっていた。小さな化石の扱いには向かなそうなジェイコブス先生の太くて厚い手は、意外にも器用に、ガラスバイアルの中に化石をしまっていくのだった。

標本管理の仕事では、新しく標本を登録したり、ほかの研究施設に貸したりします。長い年月をかけて集めた標本情報を取り扱う仕事なので、責任重大です。

私は字が下手なので、化石に標本番号を書くのが苦手。スズキさんはいつも職人技のように仕上げてくれます。

4 内モンゴルは森林の楽園

モンゴルは恐竜化石のメッカでもある。タイムマシーンに乗って白亜紀後期のモンゴルの大地に立ち、その場にいながら時間を早送りすれば、恐竜時代の終焉から様々な動物の生死、新しい動物の到来など、進化と絶滅の壮大なドラマに立ち会えるだろう。

ヴェロキラプトルがプロトケラトプスを襲う場面に遭遇し、やがて鳥類以外の恐竜が絶滅する瞬間が訪れると、絶滅を逃れた哺乳類は多様化して、そのうち、史上最大の陸棲哺乳類であるパラケラテリウムが現れる。それからしばらくすると、今度はプラティベロドンがやってきた。ゾウに似ているけれど、下顎は前方に伸び、しかもそれがシャベルのような形をしていてなんか変。このなんか変なゾウ

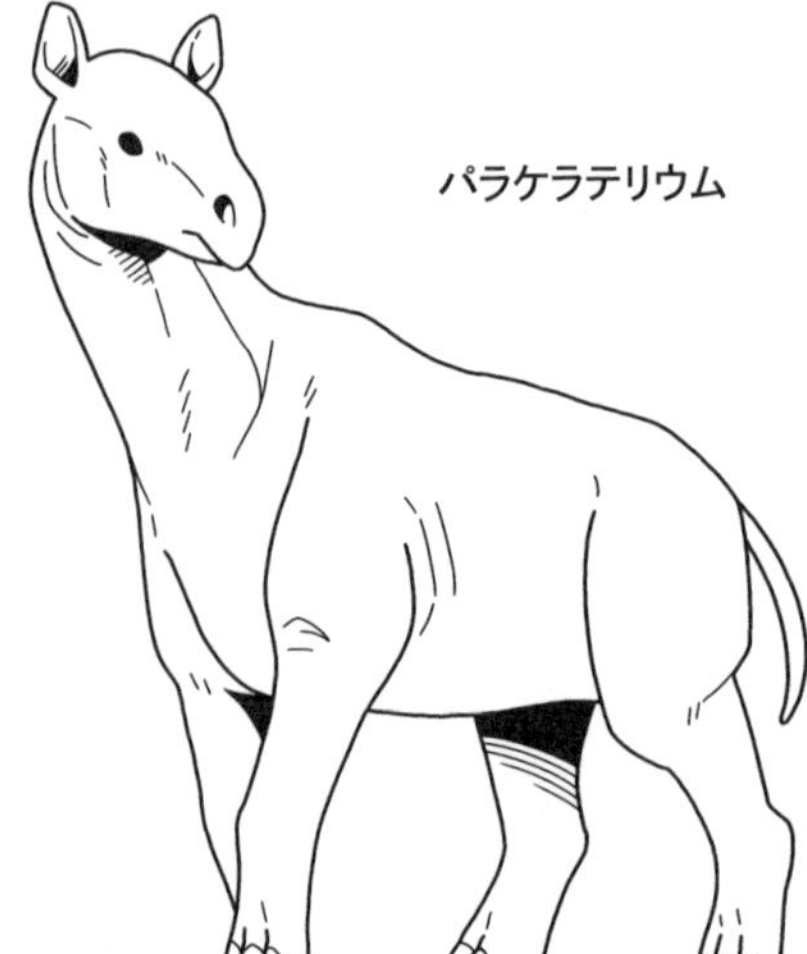
パラケラテリウム

が登場するのは、中新世中期。ちょっと行き過ぎたようなので、ほんの少しだけ時間を戻して、中新世前期（約１７００万年前）の内モンゴルを見てみよう。

　現在は寒い地域でしか見られないナキウサギの仲間がちょこちょこ動きまわっていて、アメリカ西海岸の針葉樹林にしか生息していないヤマビーバーの仲間もいる。そして、体を丸めて冬眠するのはヤマネ類。岐阜県の中新世の地層からも発見されている化石種のエオミス類や、トビネズミ類（オナガネズミ亜科のみ）はたくさんの種類が生息していた。針葉樹林と落葉樹林の混交林が広がり、低木や草本が生えていて、比較的開けた場所もあったようだ。

プラティベロドン

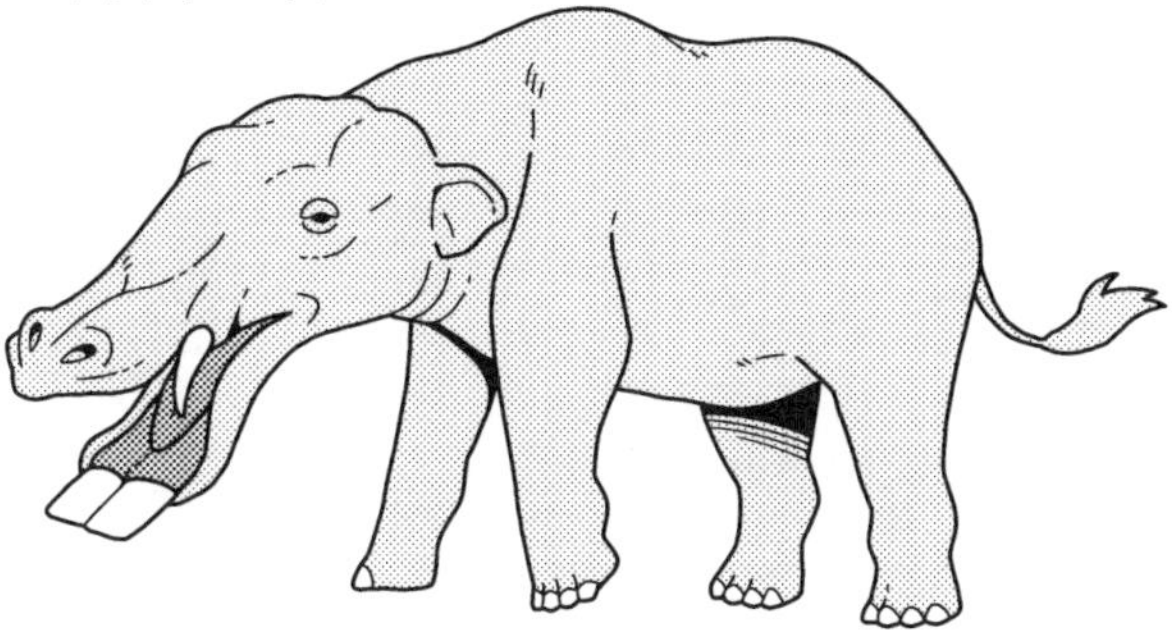

　現在の内モンゴルはとても乾燥した地域で、中部では夏にスコールのような局所的な雨がたまに降るおかげで広大な草原が形成されているが、最

も乾燥した西部では、緑のない完全な砂漠となっている。しかし、乾燥化が進んだ中新世後期よりも前の時代、ここも緑豊かな場所だったのである。

調べを進めると、内モンゴルのトビネズミ科オナガネズミ類には、北アメリカからもヨーロッパからもすでに報告されている属と似ているものがいて、これらが他人の空似なのかそれとも大陸を渡ったのか、まだ結論が出ていないことがわかった。内モンゴルは地理的に両地点の真ん中であるので、北アメリカとヨーロッパをつなぐ場所ということになる。もし他人の空似でないのなら、この小さな動物が起こしたダイナミックな大陸間移動について考えなければならない。

この仮説に魅了され、修士課程では、オナガネズミ類化石の分類学に力を入れつつ、大陸間での移動について明らかにすることにした。

繰り返すようであるが、オナガネズミ類のような齧歯類化石では、ほとんどの場合、歯の化石だけが種(しゅ)を分類するための手段である。哺乳類のなかで齧歯類は地球上で最も種数の多い分類群で、2600種にも達している。当然たくさんの

乾燥化が進んだ中新世後期
800万年ほど前を境に乾燥化が進んだ。

化石種がいたことは想像に容易いが、これらをすべて歯だけで分類できるかというと、その答えは、イエスとノーの両方である。

齧歯類は、ほかの哺乳類と比べて歯の形態の多様性が大きいため、ある程度は分類が可能だ。それでも、最近の遺伝子研究で新種と判明したもののなかには、ほかの種と歯の形態に違いがみられないものがある。つまり、形態に基づいて分類されている古生物学の化石種は、今生きている生物の「種」の基準と完全に一致するわけではないということは意識しておいたほうがいい。

歯の形態に基づく分類の研究は、絵合わせのように進められる。歯の種類（例えば、上の第一大臼歯など）ごとに分けて、そのなかで形態が似ているものと似ていないものに分けていくと、化石種ごとのグループが出来上がる。その後、それまでに研究発表された種と同じであるかを絵合わせで比較し、比較すべき形態的な特徴をさらに細分化していく。違う特徴が見つかれば、それが種内のバリエーションなのか、それとも新種の特徴なのかを判断する。

こうして地道に絵合わせをしていくと、内モンゴルで見つかった化石のうち、オナガネズミ類の化石種を6属9種、認識することができた。ひとつの化石産地から同じ亜科に属する種がこれだけ見つかるのは非常に珍しい。

そして、種が多いだけでなく、化石の点数が多いという点でも、この化石産地が特異であることがわかった。


この研究では大陸間の移動を意識していたので、ヨーロッパやアメリカの論文も取り寄せて、文献調査を進めた。すると、どの化石産地でも、見つかるオナガネズミ類の化石はひとつの化石産地に1種か2種程度で、哺乳類相全体の割合としても数パーセント程度であり、多くても10パーセントに届かない。対して内モンゴルの化石産地からは9種類が見つかり、見つかった化石全体の30パーセントにも上った。

内モンゴルの森林に、オナガネズミ類の楽園があったようだ。

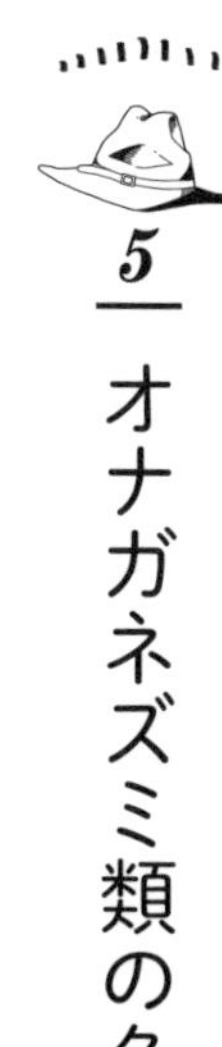

5 オナガネズミ類の名づけ親になる

今回見つけたオナガネズミ類の6属のうち、2つについては全く新しい属であると考え、名前を与えることにした。歯の形を表す名前にしたいと思いながら、ラテン語の辞書を手に相応しい単語を探す。

まず考えたのは、シノドノミスという名前だ。【中国の＋歯の＋ネズミ】という意味がある。この化石は、すでに知られているリトドノミス属（【シンプルな＋歯の＋ネズミ】の意味）と同じように中国から見つかっていて、形も似ているけれども、さらに単純な形をしていた。そこで、種名にはシンプルであるという特徴を残して、フルネームを暫定的(ざんていてき)に「シノドノミス・シンプレックス」とすることにした。なぜ暫定的かというと、研究者の査読を受け、論文として認められない限り、名づけたとは言えないからだ。

もうひとつは、見た目が独特で、それまでに知られていたオナガネズミ類のど

6属

- ヘテロスミンサス属 *Heterosminthus*
- プレシオスミンサス属 *Plesiosminthus*
- リトドノミス属 *Litodonomys*
- シノドノミス属 *Sinodonomys*
- オモイオシシスタ属 *Omoiosicista*
- オナガネズミ属 *Sicista*

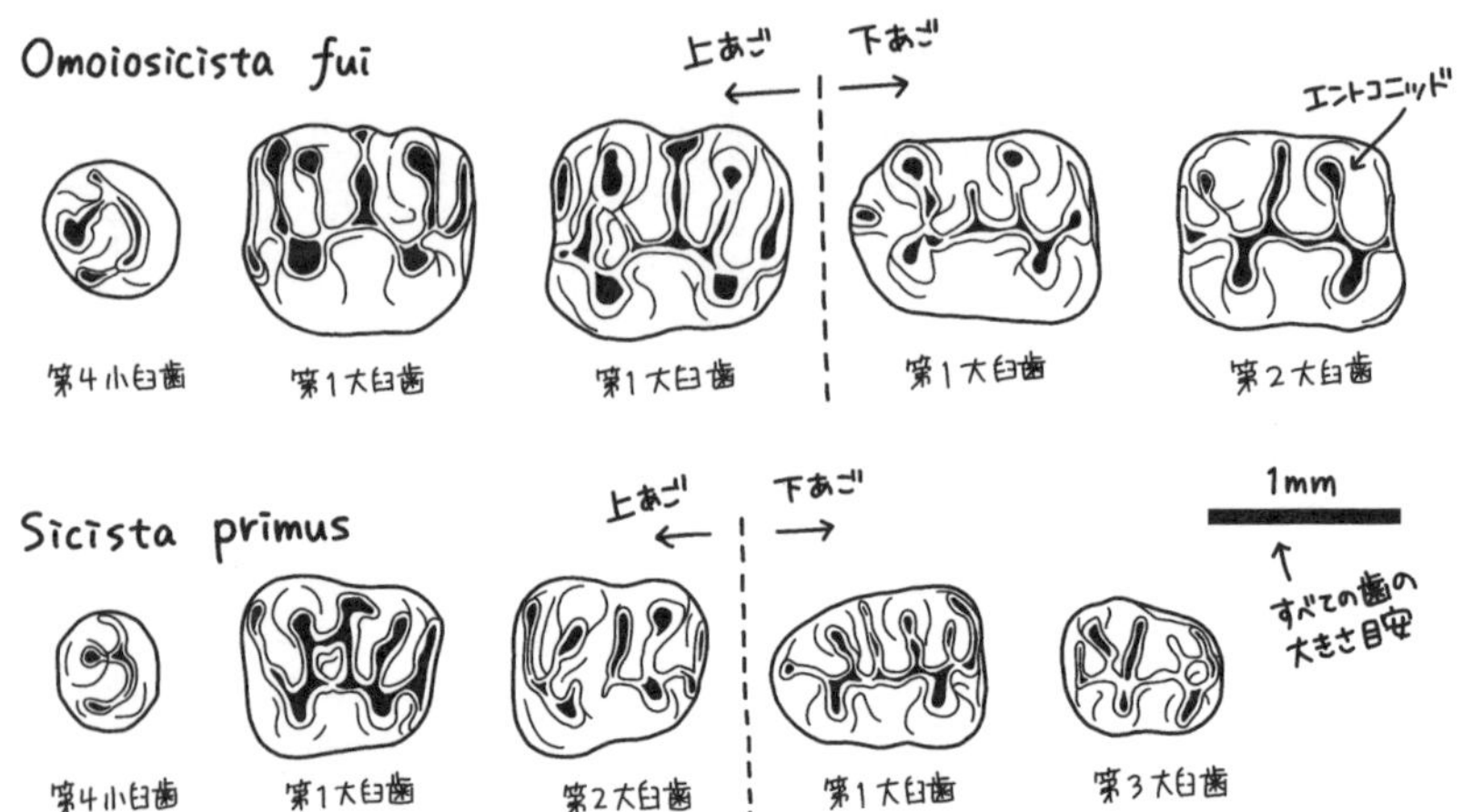

の化石とも異なり、変わっていた。下顎の第二大臼歯に見つけた特徴は特に風変わりで、エントコニッドという咬頭から頬側の方向にまっすぐ伸びる稜線がものすごく短く、弱い。これはほかのオナガネズミ類の化石にはみられない。また、歯の真ん中を横方向（頬−舌の方向）に走る稜線は高さが低く、弱々しいにもかかわらず歯の縁まで伸びている。これは現生のオナガネズミ属（*Sicista*）にみられる特徴だった。ほかにもオナガネズミ属と似ている特徴があったので、【似ている＋オナガネズミ属】を意味するオモイオシシスタという名前にした。新しい種名を合わせると、暫定的に「オモイオ

咬頭
歯の咬合面にある山の構造。歯を噛み合わせた時に谷の形状に入り込み、食べ物を噛み砕く役割がある。

シシスタ・フイ」となる。

「フイ」の由来は、冨田先生の「冨」の字だ。冨を中国語読みするとフゥで、そこに男性形の「イ」をつけて、「フイ」である。中国の化石に「トミダイ」と日本名をつけるのは憚（はばか）られたが、フイは気に入った。これで、新属新種が2つ揃った。

分類学のために形態を詳しく観察したことで、アメリカで別の名前がつけられていたオナガネズミ類の化石も、今回内モンゴルから報告する6属のうちの2属と同じであると結論付いた。そのうちのひとつが、現在はユーラシア大陸の中高緯度地域の限られた場所にしか棲んでいないオナガネズミ属（*Sicista*）で、もうひとつがプレシオスミンサス属（*Plesiosminthus*）●である。オナガネズミ類は、少なくとも2回、ベーリング陸橋（りっきょう）を経由して北アメリカに渡るという大移動をしていたようだ。残念ながら、アメリカでは中新世後期には絶滅してしまったようである。

また、もうひとつ重大な発見があった。今回内モンゴルから見つかったオナガ

プレシオサウルスなら知ってる!!

ネズミ属の化石は、約1700万年前の地層から発掘されたものだ。つまり、オナガネズミ属は1700万年もの長い期間を生き延びている齧歯類ということになる。それまで、オナガネズミ属の一番古い化石は約800万年前の地層から見つかった種だったので、属レベルの存続期間が900万年も延びたことになる。これがどれくらい珍しいかというと、中新世前期から生き延びている属は齧歯類全体で7属しかおらず、哺乳類全体の四分の一にあたる種が属するネズミ形亜目ではオナガネズミ属が唯一の存在なのだ。この化石種には、【最初の】を意味するプリマスという称号を与えて、暫定的に「シシスタ・プリマス」という名にした。もし、この世にトヨタ車のプリウスがなかったら、「シシスタ・プリウス」にしていたところだが、プリマスも気に入っている。

そして、2010年から3年間かけて3つの論文として、6属9種は国際的なお披露目の場を得て、私はオナガネズミ類の正式な名づけ親になった。

6 自分で設定した壁を乗り越える

古生物学者に「なりたい」という気持ちは7歳の頃からブレることはなかったが、古生物学者に「なれるのか」という悩みは大学院に進んでも、アメリカに留学しても、常に大なり小なりつきまとってきた。

好きだから、もちろんやめたくはない。でも誰かに「向かない」と判断されたらスッキリと別の道に進めるだろう。結局は留学時にもすがったその考えに、修士課程に進んでもまだ囚われ、自分のこの先の人生についていろいろと考える時間が増えていった。

突き進むにせよ、別の道に行くにせよ、どんな評価を受けたら納得できるのか。それには、研究者の評価として大事な「研究費の獲得」と「プレゼン」で勝負してみるのがいいと思った。修士課程のあいだに、少額でもいいから研究費を獲得して、そして、国際学会の学生向けの賞を取る。この目標をクリアできたら博士

「研究費の獲得」と「プレゼン」で勝負
進路についての詳細は3章へ。

課程に進んで、古生物学の勉強を続ける！　もしダメだったら……、その時は研究者になるための古生物の勉強はやめる。やめるけど、これまで費やした時間を後悔しないし、古生物学を通して出会えた先生や友人とはつながっていたい。

そう決めて、腹をくくった。

そうと決まったら、勝負の場探しだ。

研究費については実に単純で、外国人の学生身分だとあまり選択肢がない。古生物学の分野ではせいぜいアメリカ地質学会（Geological Society of America）くらいであるので、ここに焦点を絞り、ほかに少し応募した。

前に述べた中国の長期滞在は、この時にもらった研究費のおかげで実現したものだ。また、アメリカの首都にある憧れのスミソニアン自然史博物館に行き、収蔵庫で標本を観察し、修論データに加えることもできた。博物館に入って、外部研究者用のバッジを受け取り、収蔵庫のある「博物館の裏側」へと案内された時の高揚感は忘れられない。こっそり写真を撮って母に送ったことも懐かしく思う。

応募して本当によかった。

ここで勉強したことは、研究費の申請書は内容がほとんど同じであっても、応募するプログラムによって評価が分かれるということだ。そもそも分かれるくらいなので「すごく良い」というよりは、「そこそこ良い」というボーダーラインレベルだったのかもしれないが、客観的な評価でこれからやりたい研究を認められたことは、大きな力になった。

一方で、研究費を得られなかった時はそこで足踏みをしているようで、本当に悔しかった。しかし、毎回落ち込むわけにはいかない。研究を職業とするからには、落ちることにも慣れないといけないようだ。そんなわけで、「落ちる」という経験もいくつか積んで、まずひとつ目の壁を乗り越えた。


次はプレゼンの場だ。どの舞台にするかは、ずっと前から決めていた。SVPが開催している学生向けのコンペである。留学前、ジェイコブス先生と初めてお会いしたのがこのSVPの会場だった。学生コンペにはポスター発表と口頭発表があり、それぞれ著名な古脊椎動物学者の名を記念した、コルバート賞とローマー賞が与えられる。

口頭発表であるローマーセッションは特に圧巻である。発表できるのは博士号を取得してから1年以内の学生で、チャンスは一度。しかも応募者のなかから上位の選ばれた人しかその舞台に立つことは許されない。

考えてみてほしい。博士号を取るには大学を卒業してから最低でも5年かかる。その5年間の全てを12分間の発表と3分間の質疑応答時間にまとめるのだ。審査員も聴衆も自然と気持ちが高まり、戦いは否応なしに熱を帯びる。

私もあそこに立ちたい。そう思うのは自然なことだった。そしてその思いは4年後に見事叶った。ローマーセッションで自分の順番を待っている時は口から心臓が飛び出しそうだったが、いざ自分の番になると、すっと落ち着いたことを鮮明に思い出す。賞を取るには至らなかったが、良い結果（爪痕？）と思い出を残すことができた。

さて、修士号を取り終えたばかりの私が挑んだのは、ポスターコンペのほうだ。

コルバート賞とローマー賞
コルバート賞はEdwin H. Colbert、ローマー賞はAlfred S. Romerの名前を冠している。

こちらは研究内容もさることながら、文字の見やすさ、色の使い方、文字と図や絵のバランスなど、総合力が試される発表である。

古脊椎動物学では、いろいろな学問の分野から知恵と手法を借りて、絶滅した動物がどのような姿をしていたのかを復元するのであるが、その当時（今もだが）注目されていたのが、脳や耳など化石としては直接見えない内部構造を、CT影像を元にパソコン上で3次元モデル化して解析するといった研究であった。恐竜の脳幹（のうかん）が浮き上がり、グルグルまわる映像なんかは、兎（と）にも角にもカッコイイのだ。

一方で、こちらは小さな哺乳類の化石である。見た目もカッコよさからはほど遠いし、自分の研究はもっと古典的で、あまり見栄えもしない。カッコイイ研究に目が奪われ、あまり「お客さん」が来ない自分のポスターの前で、立っているのもだんだんと恥ずかしくなってきた。

ポスターのコアタイムが終わったあとはヘロヘロになり、緊張から解かれた反動でいっぱい泣いた。誰かと話がしたくなって、思わず母に国際電話をかけた。「初めは誰でもそんなものよ、まずは出られたのがすごいのよ」と明るい声だった。でもね、これは最初で最後かもしれないんだ……とは言えずに、電話を切った。自信がなさすぎて、ポスターを見ていたらまた泣けてきて、トイレで小さく破いて、捨ててしまった。

夢に見続けた古生物学者への道。ここで終わりにするには、スッキリと諦めるには、この学会という憧れの舞台でたくさん泣いておく必要があったのだと思う。

だから、この時の自分がまさかコルバート賞を受賞して、そして小さな哺乳類化石を専門として博士課程に進んだことは、今でも本当に信じられないのである。ジェイコブス先生がまるで自分のことのように私の受賞を喜んでくれて、いつか自分も先生みたいな学者になりたいと思った。

2つ目の壁は、まるで狐につままれたような感じで、半信半疑のまま乗り越えたのだった。

SVPからいただいた賞。左はコルバート賞、右はマリー・ドーソン賞（博士研究のための助成金）。マリー・ドーソン博士は尊敬する女性古生物学者の一人。

筆者（左）とルイス・ジェイコブス先生。ポスターコンペでコルバート賞が決まった後すぐに撮った思い出の写真。

第9章 ヒトはなぜ化石を研究するのか

1 恐竜ハンターと中央アジア探検隊

古脊椎動物学の分野には、「恐竜ハンター」もしくは「化石ハンター」と呼ばれる人たちがいる。探検の地で世界を驚かせる化石を次々と発見する人のことで、その功績に敬意を込めて与えられる称号みたいなものである。ジェイコブス研究室の先輩でもある北海道大学の小林快次先生は、まさに現代の恐竜ハンターだ。

そして、恐竜ファンなら、いや古生物ファンなら、知っておいてもらいたい伝説の「恐竜ハンター」がいる。アメリカ自然史博物館のロイ・チャップマン・アンドリュース（Roy Chapman Andrews）である。

アンドリュースは、映画『インディ・ジョーンズ』の主人公のモデルになったといわれている。映画のなかで主人公の考古学者は、命を脅（おびや）かすほどの危険な探検に向かい、そこで驚異の勘と破天荒ぶりを発揮して次々と新発見をするのだが、その姿は、アンドリュースそのものなのだ。

彼の生き様は、イチ古生物ファンとして、グッとくるものがある。

博物館人であり、探検家でもあったアンドリュースは、子供の頃から動物が好きで、大学を卒業するとニューヨークにあるアメリカ自然史博物館で働くようになった。求人募集を見て応募したのではなく、床掃除の仕事でもいいから博物館で働きたいと手紙に書き、その熱意を買われて得たチャンスだった。最初は文字通り雑用係をしていたが、動物学や解体の知識、社交的な人柄が認められ、すぐに調査アシスタントとなった。そしてその最初の仕事が、「幸運な星」の元に生

映画『インディ・ジョーンズ』
架空の考古学者、インディアナ・ジョーンズが主役の冒険映画。

「幸運な星」の元
アンドリュース自身が、「Under a lucky star」と表現している。

まれたアンドリュースの運命を決めた。

ニューヨークに程近いロングアイランド島に打ち上がったセミクジラの調査で得た経験は、すぐに次の調査へとつながった。海洋調査船アルバトロス号に乗船して東南アジアに行く切符を手にしたのだ。当時は、商業用の飛行機などなかったため、太平洋を横断してアメリカと反対側のアジアに行くには船しかなかった。

そしてその船の行き着く先、アジアの玄関口となったのが、日本の横浜だった。人々がまだ着物を着ていた頃、そして、国を越えた行き来が一般的でなかった時代に、若きアンドリュースは日本に降り立ったのである。何もかもが新鮮に映ったに違いない。そして、アルバトロス号での調査を順調に終えると、アンドリュースは日本に寄港し、半年ほど日本に留まってクジラの調査をするのである。アンドリュースはこの時、26~27歳であった。

実は、国立科学博物館にも来館し、常設展でツチクジラの骨格を見たという記録が残っていて、アメリカの有名な科学雑誌『サイエンス』にそれを記している。

この後、アンドリュースはクジラの研究から舵を切り、恐竜発掘の調査リー

半年ほど日本に留まって
[参考文献] 宇仁義和ほか(2014)「ロイ・チャップマン・アンドリュースの日本と朝鮮での鯨類調査と1909-1910年の日本周辺での行程」日本セトロジー研究会 24:33-61

ダーとして舵取りをするようになる。当時、外交に関わる重要な人物たちが集っていた横浜で、経済界や社交界とのつながりを深め、これがのちの恐竜発掘に大いに役立ったようだ。

韓国や中国でも哺乳類を中心とした現生動物の調査を行ない、その目はだんだんと、モンゴル、内モンゴル地域に向けられるようになった。当時の科学界では人類の起源がどこであるのかがまだわかっておらず、中央アジアもその候補になっていた。人類の起源と、そして哺乳類の進化の舞台として中央アジアに注目したのが、アンドリュースのボスで古脊椎動物学の大権威であるオズボーン（Henry F. Osborn）博士である。ティラノサウルスを世に送り出した人物といえば、知らない人はいないだろう。

オズボーン博士とアンドリュースは、１９２２年から１９３０年にかけて、５度にわたってゴビ砂漠とその周辺地域に赴き、至上最大規模の探検プロジェクト「中央アジア探検（Central Asiatic Expedition）」を成功させた。アンドリュースが38歳の時であった。

１９２０年代は、第二次世界大戦に向かって世界の情勢がどんどん悪化していった時期である。隣国（主に日本）との摩擦を抱える中央アジアに研究調査に行くことには批判の声もあった。その批判を押しのけるには、成果を出すよりほかない。アンドリュースはここでも「幸運な星」に照らされる。

フィールド調査の存続可否が問われる運命の最初の年、アンドリュースは恐竜の卵殻化石を発見するのである。この化石産地は夕日に照らされて赤く染まることから「炎の崖」と名づけられた。炎の崖から次々と見つかる恐竜の卵。これによって恐竜が卵生であることが決定的となり、古生物学界のみならず一般社会にも大きな衝撃を与えることとなった。アンドリュースという伝説の恐竜ハンターが誕生した瞬間だった。

恐竜や哺乳類の化石産地を次々に発見した中央アジア探検の成果は凄まじく、今日の中国の地質・古生物学の基礎になっている。

私は恐竜ハンターの話が大好きで、中央アジア探検のことを知るきっかけとなった『きょうりゅうのたまごをさがせ』（たかしよいち著／理論社）という漫画は今でも大事にしている。また、アンドリュース自身が書いた回想録や中央アジア

運命の最初の年
本格的な発掘は次の調査である1923年以降。

探検の分厚い報告書もいくつか持っていて、週末などにふと冒険したい気分になるとページを開いて妄想に耽(ふけ)ったりする。古書の紙の匂いや、裁断技術が今ほど優れていなかった時代の少しガタガタした本が、1920年代の冒険の雰囲気をより一層駆り立てる。

さて中央アジア探検というと、恐竜と炎の崖があまりにも有名なのだが、アンドリュースの本を読んでいると、彼らが目指していたものは、もっと先にあったことがよくわかる。

中央アジア探検隊は、研究調査のエリアを炎の崖からさらに南東方向に進め、図(はか)らずも探検の後半となってしまった1928年に、ようやくある場所に到達した。恐竜化石ほど話題にはならなかったがプラティベロドンの化石が多く見つかったこの産地のことを、アンドリュースたちは本のなかで「古生物学者の楽園」と表現している。この下顎が伸びたゾウの仲間は中新世中期に繁栄していた動物なのであるが、アンドリュースたちはもう少し新しい「鮮新世(せんしんせい)」という時代の産地であると考えた。つまり、中央アジア探検の真の目的である「人類の起源を探求

鮮新世
新生代の7つある区分のひとつ。約530万年前〜約258万年前。

するための地層」に、ようやくたどり着いたのである。しかしながら、日本が満州への影響力を強化したため、夢半ばでこの地を去らなければならなくなった。

歴史に翻弄(ほんろう)されながらも中央アジア探検を成功させた恐竜ハンターは、のちにアメリカ自然史博物館の館長へと出世した。二十代前半にチャンスをつかんで来日し、中央アジア探検を率いるまでになったのに、四十代前半で日本によって夢を閉じなければならなかったアンドリュースにとって、日本という国は人生の最期まで心を揺さぶられるような存在であっただろうと思う。

アンドリュースたちが中央アジアを探検した時代は、当然ながらGPSもスマホもなかった。彼らのチームには地理学の専門家がいて、地図上に化石産地をマッピングしながらの調査だったが、それでも、もはや記憶を有する者がいないなかで全く同じ場所を探し当てるのは難しい。「古生物学者の楽園」の正確なロカリティーもわからなくなっていた。

しかし、1990年代から、中国人研究者を中心に、中央アジア探検隊の哺乳類化石の産地を再発見するプロジェクトが行なわれ、なんと化石産地の特定に成功している。そのプロジェクトの中心人物が、ロサンゼルス郡立自然史博物館の王暁鳴（ワン・シャオミン）博士とIVPPの邱鋳鼎（チュウ・ズーディン）博士で、私が参加させてもらった内モンゴル発掘のリーダーであった。

実は冨田先生から内モンゴルでの発掘調査のお話を聞いた時、アンドリュースたちが見た景色を見てみたいというミーハー心が少なからず沸き起こったことは、この際正直に白状しよう。実際に「古生物学者の楽園」のひとつである「プラティベロドン採掘地」に連れて行ってもらった時は、感激した。

アンドリュースたちは膨大な調査資料と、当時は珍しかった写真資料を残していたそうだ。

泥にはまった四輪駆動車。内モンゴル調査にて。雨上がりの日、舗装されていない道では性能の良い車でも泥にはまってしまうことがある。アンドリュースも泥に困っていたようだ。

大きめの齧歯類化石の顎。地表に露出しすぎると、風化が進み、発見する頃にはこのようにボロボロになってしまう。

王博士らは、現地の聞き取りと、写真から読み取れる特徴的な地形から、場所を特定していった。

探検家と古生物学者の、時を超えた冒険である。

2 ヒトはなぜ小さな動物の化石を研究するのか

アンドリュース率いる中央アジア探検隊も、小さな哺乳類の化石を見つけていたと言ったら驚くだろうか。最初の年、つまりアンドリュースを有名にした恐竜の卵化石を発見した年に、漸新世（ぜんしんせい）という時代の地層から齧歯類の化石を発見している。

その「お手柄」の例を見てみよう。

ツァガノミス（*Tsaganomys*）は、ヤマアラシ形亜目に含まれる原始的な齧歯類で、ヒトの手くらいの大きさの頑丈な頭骨やガッシリとした下顎を持ち、頭骨の登頂部分は顎を閉じる際に使う筋肉が付着するように、トサカ状に発達している。これらの特徴から、土を掘って地中で暮らしていたと考えられている。このような動物は予期せず生き埋めになり、そのまま化石となることが多いので、骨同士がバラバラにならずに比較的完全な状態で見つかる。中央アジア探検隊が発

漸新世
新生代の7つある区分のひとつ。約3400万年前～約2300万年前。

見したツァガノミスも例外ではなく、これならばたとえ視界３６０度の荒野にいても見つけることは可能だっただろう。
しかし彼らは、さらに小さい動物も見つけていて、例えば、ハムスターに近縁な絶滅種であるクリケトプス（*Cricetops*）は、ゴールデンハムスターよりもひとまわり大きいとはいえ、大臼歯の歯列はせいぜい1センチほどしかない。どんな観察眼を持っていたのか、はたまたどんな執着心が発見に導いたのだろうか。

恐竜のような大きな化石も、クリケトプスのような小さな化石も、同じようにアメリカ自然史博物館の標本番号が与えられ、収蔵庫に大切に保管されている。小動物の化石も等しく貴重なものではあるけれど、「研究映え」という意味では恐竜には遠く及ばないのも事実だろう。それでもヒトは、アンドリュースの時代も、そして今も、太古の小さな動物たちに魅了され、研究してきた。

それはなぜか。

この小さな動物の化石は、その種の発見ということ以上に、地球史や生命史に関わる大切なことを教えてくれる存在なのである。

幼い頃にハムスターを飼っていた思い出を持つ人は結構多いのではないかと思う。寿命が2~3年と短く、命に対する責任を理解するための最初の教科書のような存在でもあるのだろう。我が家も例外ではなく、悟空と悟飯と名づけられた偉大なハムちゃんたちがいた。

寿命は短くて、子だくさん。このハムスターの生存戦略にみられる特徴が、先ほどの言葉のヒントになるかもしれない。

例えば大きな動物の代表であるアフリカゾウの平均寿命は60~70年。14歳くらいでようやく繁殖（はんしょく）できるようになり、2年近くの妊娠期間を経て、1匹の仔ゾウを産む。寿命までに産める仔ゾウの数は多くても10~12匹程度であるようだ。

一方、ハムスターの平均寿命は飼育下で2~3年と短いが、生後2か月くらいで繁殖できるようになり、20日程度の妊娠期間を経て、一度に5~7匹ほど出産

「顔」という意味のあるopsの語源は同じかもしれませんね。残念ながら、クリケトプスの原論文には名前の由来は書かれていません。でもハムスターは*Cricetidae*（キヌゲネズミ科）なのでクリケ（Crice）はきっとハムスターを暗示するのでしょう。

する。1歳くらいまでが出産適齢期であるから、寿命までに産める仔の数は、計算上は60匹くらいに達するだろうか。アフリカゾウ1世代分の時間の長さで、ハムスターは２００～３００近くも世代交代できる。

多産で世代交代が早いことを地質学的な長い時間スケールに当てはめると、「進化のスピードが速く」、「たくさんの化石が見つかる」ということになる。時代が連続した地層中で、古い時代の化石と新しい時代の化石を比較してみた時、大型の哺乳類では同一の種として扱えるほど形態に差がみられない場合でも、小さな哺乳類では別種へと進化する様子がみられるかもしれないのだ。

つまり、「ある時代に特徴的な種」という場合の「ある時代」の年代幅が、小さな哺乳類ではグッと狭いのである。

このように、生物の進化を利用して地層の年代を推定する方法を生層序（せいそうじょ）というのだが、小さな動物（特に齧歯類）はまさにこの生層序にピッタリといえる。事実、新生代の小型哺乳類化石の研究は、陸源性堆積物の年代推定に大いに貢献した。

また、ひとつの化石産地から様々な種の哺乳類化石が見つかると、その時代のその地域に棲んでいた哺乳類の構成（動物相）が明らかになる。化石として見つかるのが絶滅種であっても、近縁な現生種や似たような種と比べることによって、森に棲んでいた動物の集まりなのか、それとも、草原に棲んでいた動物の集まりなのかというような生態系の推定をすることができる。このような古生態もしくは古環境の復元にも、小型哺乳類の化石が利用されることがある。

私が参加した内モンゴル発掘も、「東アジアの陸生哺乳類時代区分（生層序）」の精度を高めることと、化石哺乳類相を利用して内モンゴルの古環境を復元することが主な目的であった。

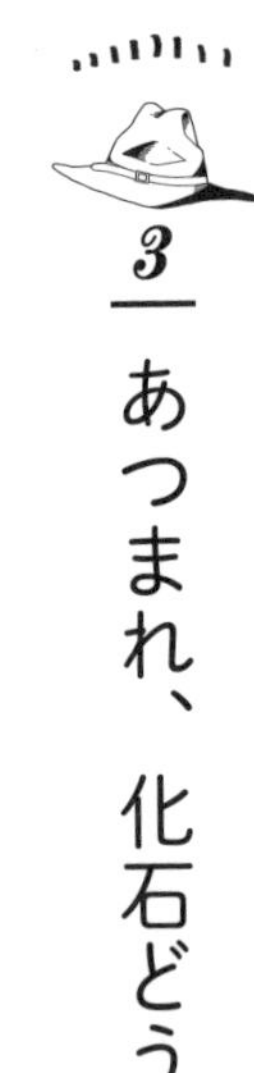

3 あつまれ、化石どうぶつの森

先に述べた小型哺乳類化石の研究方法は、新生代のものについてであるが、いわゆる恐竜時代である中生代に生きた小さな哺乳類の研究には、また別の醍醐味がある。

先日、任天堂の人気ゲーム『あつまれ どうぶつの森』(通称「あつ森」)の化石を解説する機会があった。どうぶつたちが気ままに暮らす無人島がこのゲームの舞台で、プレイヤーはそこの住人となり、虫を採ったり、魚釣りをしたり、化石を掘ったりといった楽しいスローライフを満喫できる。すぐにでも移住したいこのジブン島には、採集した化石を寄贈して博物館を建てることができるらしい。その化石展示室が科博の常設展に似ているということで話題となり、声をかけていただいたというのがこのオモシロイお仕事の経緯だ。

インタビュアーさんにゲームをしてもらいながら展示室を巡ったのだが、素晴らしい博物館だった。

展示されている化石は動物の系統ごとにまとめられ、近縁関係がわかるように系統樹をあらわす光の道が伸びている。恐竜の展示室を見上げれば、鳥類以外の恐竜の絶滅を導いた隕石が刻一刻と地上に迫ろうとしていて、思わず「みんな逃げて〜」と叫びたくなる。

恐竜と哺乳類の展示室は小さな通路でつながっているのだが、これも考えられた「小ささ」なのではないかな。ティラノサウルスもブラキオサウルスもこの入り口の大きさでは哺乳類の展示室には入ることができない。この小さな通路にひっかかりもせずに、隣の展示室に「お邪魔します」ができるのは、鳥類と「小さな哺乳類化石界」のスターであるジュラマイアくらいだ。

ふむふむ。この通路が、まさに中生代と新生代の境界というわけだ。展示コンセプト、空間の利用方法、標本の選定、どれをとっても博物館学という学問に通じる。インタビューが終わる頃には、普段はゲームをしない私でもすっかり「あつ森ファン」になってしまった。

恐竜が陸の覇者であった頃、哺乳類は「真の哺乳類らしさ」を獲得する途中段階を経て「真の哺乳類」へと進化した。彼らは「恐竜の時代には哺乳類はネズミのようで……」と表現されることが多いが、厳密にはネズミ（齧歯類）ではない。あつ森で登場したネズミのようなジュラマイアも、（諸説あるものの）骨や歯の特徴から原始的な有胎盤類であると考えられている。つまり、ネズミだけでなく、ウマ、キリン、クジラ、センザンコウ、ライオン、サル、ウサギなど、動物園や水族館で見られる人気者たちを子孫に持つ祖先的な動物ということだ。

真の哺乳類がどのように誕生したのか、そして初期の哺乳類の進化とはどんなものだったのか。それを知る上で、中生代の小型哺乳類化石はとても重要なのだ。

哺乳類化石界は新生代が花形とされているが、「小さな哺乳類化石界」では、新生代よりも中生代のほうが花形な気がする。「小さな通路」の前に堂々と展示されたスターをちょっとだけうらやましく思いつつ、私はテクテクと通路を通り抜け、「新生代の展示室」に入り浸るのである。

さあ、小さな化石どうぶつの物語のはじまりだ。

第10章 その化石、私に研究させてください！

1 中国とパキスタンで揺れ動く

博士課程もサザンメソジスト大学に進学すると決めていた。ジェイコブス先生の推薦でそれが叶うことになり、ほっとしたと同時に、次の課題である博士論文のテーマについて考えなければと気持ちを新たにした。

実は、強く興味を惹かれているテーマがあった。

地球規模で環境が変化すると、植物が作り出す景観が変わり、以前そこにあった植物を食糧や隠れ家にしていた動物たちは多くが絶滅してしまう。一方で、新しくできた生態系に適応できる系統もある。なぜ適応できたのか。その謎を、齧歯類化石をテーマに解いてみたいと思った。

ちょうどその頃、中国と日本は領土問題に揺れていて、2010年には各地で抗議のデモが盛んになっていた。修士課程では中国のオナガネズミ類を研究していたが、この情勢である。博士論文は学生としての集大成でもあるので、国同士の争いという、自分ではどうしようもできないことを心配しながら取り組むのはちょっと違うかな、という心境になっていた。そこで、中国ではない別の地域の齧歯類化石で、このテーマにぴったりのものを探すことにした。

ジェイコブス先生はパキスタンのネズミ化石を研究して博士号を取得し、1978年にそれを元にした大論文を発表している。私が目をつけたのは、この時の材料だった。先生の研究のバトンを私が受け継いで、今度は陸上生態系への適応とい

各地で抗議のデモ
2012年になると、日本が尖閣諸島を国有化することで関係性はさらに悪化した。

う視点で、化石の面白さを掘り下げてみたい。

考えた研究テーマをジェイコブス先生の前でプレゼンして、先生からオーケーサインが出た。こうして中国のオナガネズミ類からテーマを移して、パキスタンのネズミ類の化石と向き合う日々が始まった。

2 三拍子が揃ったパキスタンのネズミ化石

パキスタンは、東はインド、西はアフガニスタンと接する南アジアの国で、北の山岳地域であるカシミール地方だけはヒマラヤ山脈の一部としてその他の地域と大きく気候が異なるものの、全体的に乾燥していて、夏は暑く、冬は寒いのが特徴である。そのため、国土の広い範囲が、乾燥地域の低木地や砂漠、そして山岳地域の草原に覆われている。ただし、夏にはインド沖からやってくる湿った空気の影響を受けて、ヒマラヤ山脈を水源として流れるインダス川が氾濫(はんらん)すること

ヒマラヤ山脈の一部
狭義にはカラコルム山脈であるが、ヒマラヤ山脈と同じ造山運動によって形成され、広義にはヒマラヤ山脈として扱われる。カシミールという山岳地域で、現在もパキスタン、インド、中国が自国の領土として主張している。

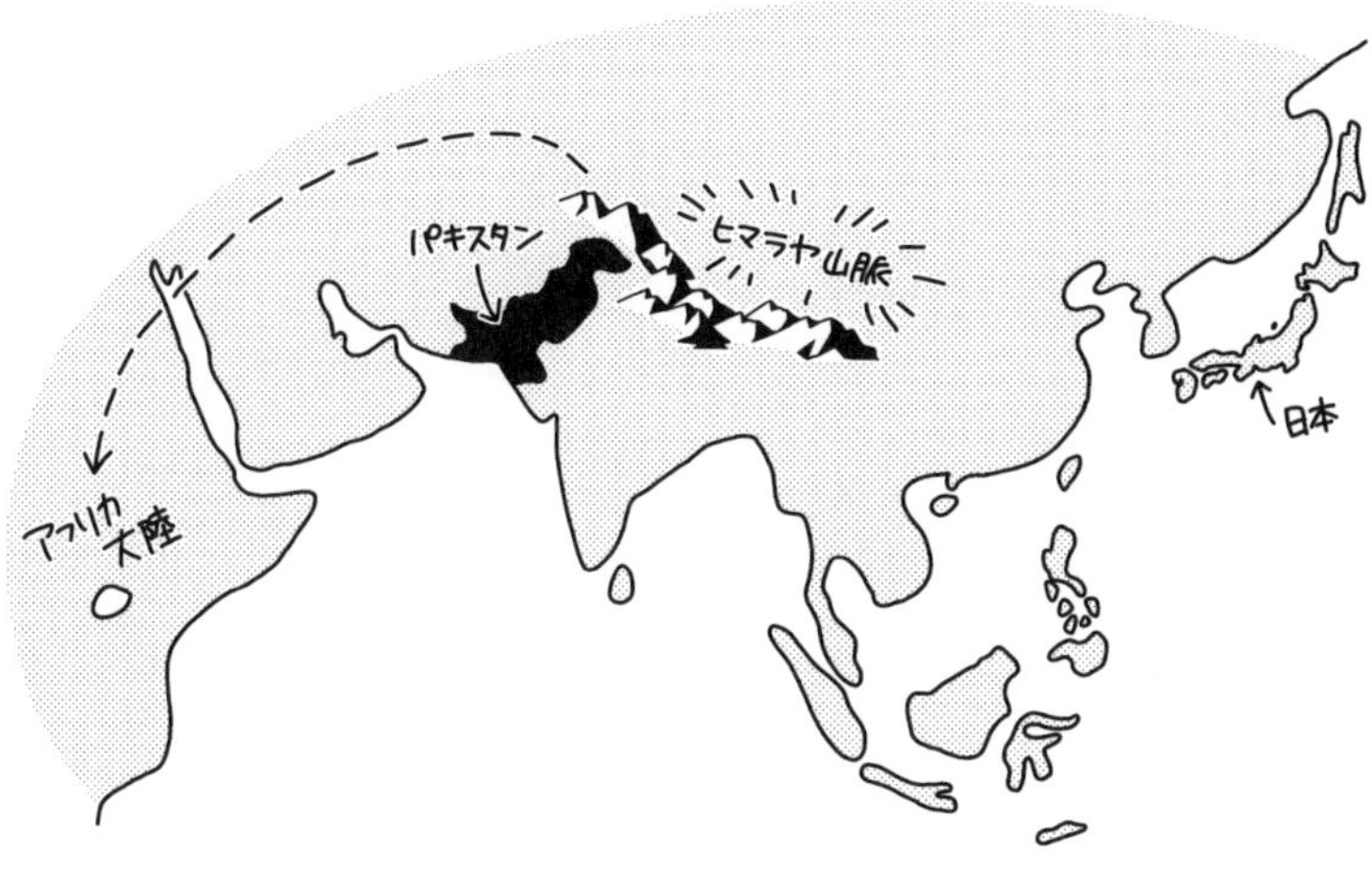

がある。

高くそびえたヒマラヤ山脈は堆積物の供給源にもなっている。雨風によって風化した地層が崩れると、そこにあった礫や砂は河川によって低地へと運ばれる。そのほとんどは海へと流れ出るが、洪水が起こると川岸の氾濫原（はんらんげん）に堆積する。

のちに、その土地（＝氾濫原）は農作物の栽培に適した肥沃（ひよく）な土壌となった。これがインダス文明の農耕につながったのだと説明できるなら、あなたは考古学に精通した人だろう。

古生物学者の視点は、ちょっと違う。

数千万年という長い年月の間に氾濫原に堆積した砂や泥の中には、洪水の犠牲になったかもしれない当時の哺乳類化石が保存されているとワクワクするのだ。これから研究することになるネズミ類の化石も、このようにしてパキスタン北部のポトワール高原に堆積した。この高原では、約1800万年前〜約180万年前までの地層が露出していて、哺乳類化石がたくさん見つかっていることから、ある古生物学者はポトワール高原のことを「哺乳類の進化の劇場」と喩(たと)えた。ネズミ類にとっても同じことが当てはまる。

では過去のパキスタンはどのようであっただろうか。もう少し視野を広げて南アジア全体から見てみよう。

恐竜が絶滅した頃（約6600万年前）、大西洋は今よりも狭く、アフリカとアラビア半島はユーラシアからやや離れた位置にあり、現代の世界地図とはずいぶんと様相が異なっていた。最も異なるのが、インド亜大陸の位置である。インドは、アフリカ南部のインド洋沖に浮かぶ南半球の島大陸であった。それからおよそ1000万年をかけて北上を続け、約5000万年前（遅くとも4000万年前）にユーラシア大陸と衝突した。この衝突によってできたのが、ヒマラヤ山脈とチベット高原である。そして、「世界の屋根」とも称されるようになったこの地形はアジアモンスーンの誕生と発達に大きく関わった。

モンスーン気候の影響が強まった中新世後期（約900万年前）になると、パキスタンでは降水量が著しく減り、雨量の季節的な変動も大きくなった。降水量の変化はそれまであった植物生態系にも影響を及ぼし、約1200万年前までは木々が密集した森林が広がっていたが、約1100万年前になると草本が混成し始め、約800万年前には草本群生が拡大し、そこから200万年かけて草本主体の植生へと変貌した（＝植生の移り変わり期）。

植物生態系の大きな変化はそこに生息する哺乳類の運命を変える。大型の草食性動物については特によく調べられていて、果実や木の葉を主食としていた系統の多くが「植生の移り変わり期」で絶滅した一方、草本食に適応できた系統は生き残った。具体的には、類人猿のシヴァピテクスやキリンの仲間であるジラフォ

この衝突によってできたのが、ヒマラヤ山脈とチベット高原である。
ヒマラヤ山脈とチベット高原の造山運動のメカニズムやタイミングについては、新しい研究結果が毎年更新されている。チベット高原を形成するラサ地塊とチャンタン地塊は中生代に衝突しており、プレートの沈み込み帯で起こる造山運動は、インド亜大陸の衝突以前から存在する。新生代はじめ頃には、これらの地域はある程度の高さであったと考えられている。

アジアモンスーンの誕生
モンスーンの成り立ちについては半世紀にわたって詳しく研究され、一般科学書にもなっている。気になる方は他書を読んでみてほしい。

ジラフォケリックス
ヒッパリオン

ケリックスの系統は絶滅してしまったが、ウマの仲間であるヒッパリオンの系統は新たに広がった草原を駆けることができたようである。

ただし、この地で数百万～数千万年にわたって生活していたのは大型哺乳類だけではない。パキスタンのネズミ類がそれまで優勢だったハムスター類に代わって繁栄したのは、まさにこの乾燥化のタイミングと同じであり、そのことをジェイコブス先生たちが示している。植生の移り変わり期も、彼らにとってはなんの問題もなかったようだ。

古い化石から新しい化石までが発見されていること。森林から草原へと植生に変化があったこと。同じ系統が森林と草原の両方に暮らせた証拠が残っていること。この三拍子が揃ったパキスタンのネズミ類化石は、研究材料としてとても魅力的だった。

3 ネズミのゆりかご

恐竜ハンターが中央アジア探検で人類の起源を探そうと試みていたちょうどその頃、南アフリカでアウストラロピテクスが発見された。今では、人類発祥の地がアジアではなくアフリカであることは定説となっていて、ヒトへとつながる系統がアフリカで誕生していることから、アフリカのことを「人類のゆりかご」と表現することがある。

その言葉を借りるならば、南アジアは「ネズミ類のゆりかご」といえるだろう。

ここでいうネズミ類とは、ネズミ科のネズミ亜科のことである。都内ではスーパーラットとして恐れられている巨大なあの子も、アミューズメントパークで絶大な人気を誇る愛くるしいあの子も、ネズミ科ネズミ亜科に所属する真のネズミたちだ。

彼らは、中新世前期（約2000万年前）に、ハムスターを含むキヌゲネズミ科の仲間から進化した。「中新世」という時代を哺乳類の進化史にのせて一言で表すのなら、「科レベルで現生の哺乳類が現れた時代」なのであるが、ネズミ科においても同様である。

中新世前期に進化の枝分かれを経験したラットとハムスターは、見た目も行動も結構異なっていて、飼育している子たちを見比べてもとても面白い。ラットは、尾っぽが長く、胴体に対して頭がスリムで、しばらく飼育しているとこちらのことを覚えてくれているような仕草をみせる。ハムスターは、胴体に対して頭が大きく、尾っぽがとても短いのでずんぐりむっくりしている。食いしん坊で、頬をパンパンにしながら食べる姿は本当に愛らしいが、毎日顔を合わせているにもかかわらず、なでようとするとお腹を見せて「ギャァー！」と威嚇（いかく）してくる。

齧歯類は、その名前の由来である「齧り専用機」の切歯が1対あり、その後ろに隙間が空いていて、大臼歯が3つ並ぶ。犬歯も小臼歯も持たない。ちなみにこの「齧り専用機」は生きている間ずっと生えてきて、削れても問題ない。この切歯で削り取った餌（えさ）は、3つの大臼歯で細かくなるまですり潰す。ラットとハムス

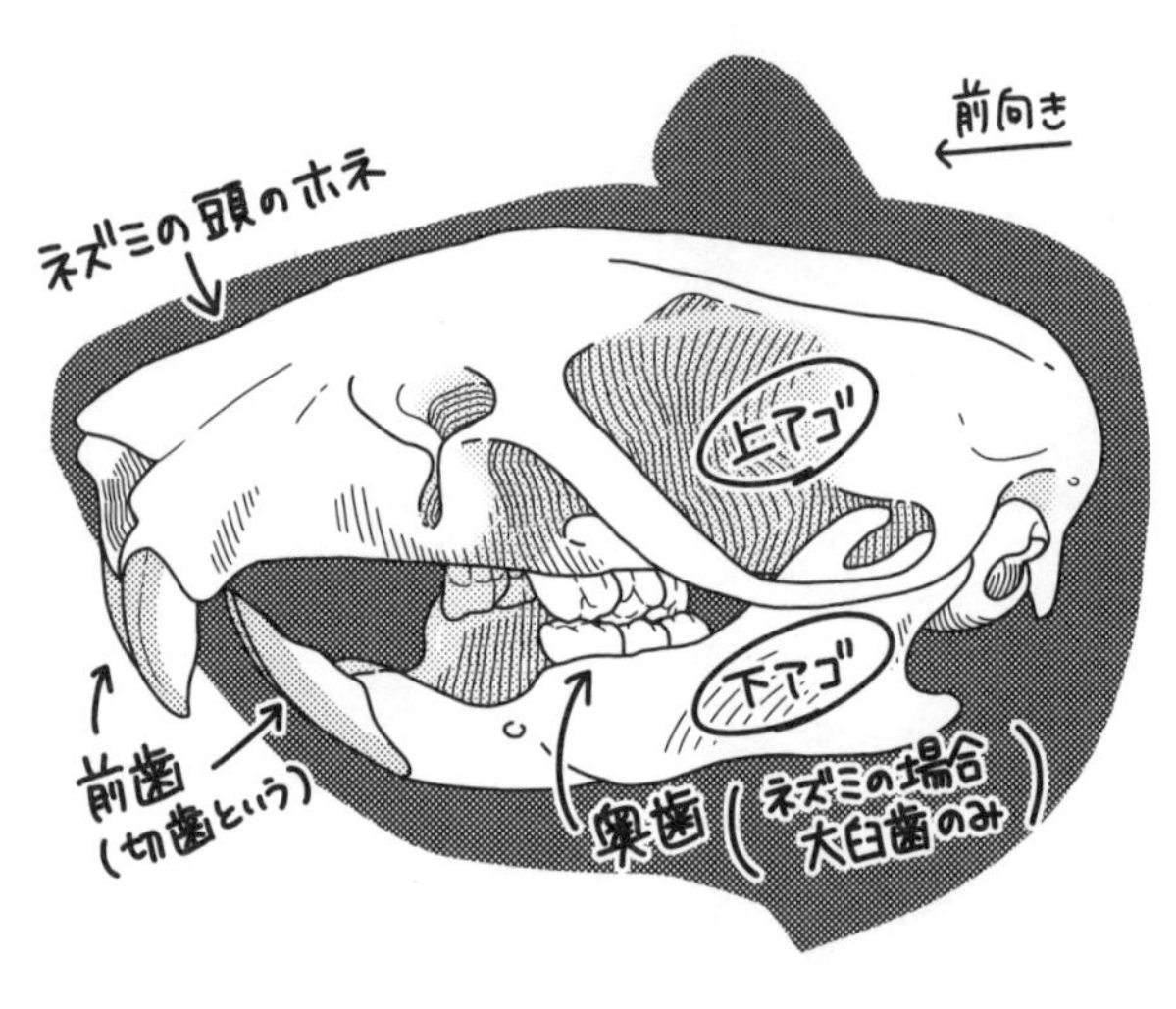

ターを見ていると、飲み込む前に本当によく噛んでいて、「エライ！」と感心するのだが、実はこの大臼歯にも、大きな違いがある。

上の第一大臼歯に注目してみよう。ラットの歯には咬頭と呼ばれる「山」が9個あり、それが、前方から〈3個・3個・2個・1個〉とフォーメーションを組んでいる●。咬頭には、山と山を結ぶ稜線が走っていることがあるのだが、ラットの場合、前の〈3個・3個〉については、それぞれの隊の中で稜線が走っていて、咬頭は「くの字」のように配置されている。そして、これら2つの「くの字線」がつながるこ

215ページの図をご参照ください。

「くの字線」
英語では「V字線」という。

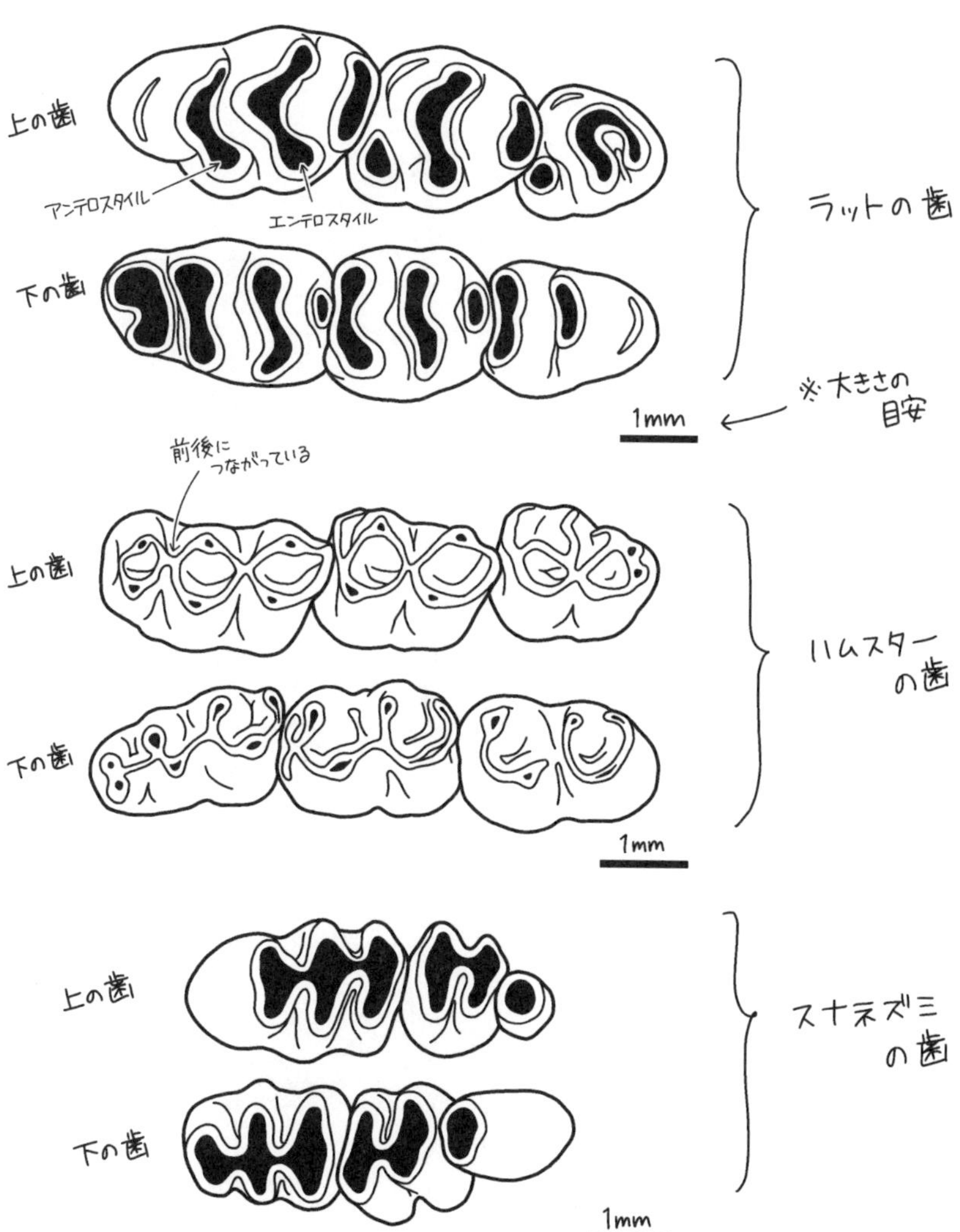
上の歯
アンテロスタイル
エンテロスタイル
ラットの歯
下の歯
※大きさの目安
1mm
前後につながっている
上の歯
ハムスターの歯
下の歯
1mm
上の歯
スナネズミの歯
下の歯
1mm

とはない。一方、ハムスターの場合は咬頭が7個で、フォーメーションは〈2個・2個・2個・1個〉となっており、稜線はラットよりも複雑で前後の咬頭も稜線でつながっている。

そして大きな違いがもうひとつ。食べ物を噛む時、ラットは顎を前後に動かすのだが、ハムスターは左右横方向の動きが大きい。

ハムスターのような祖先種からラットのような真のネズミが誕生したということは、ネズミ類が誕生する過程で、まず大臼歯の前2つの隊に新しい咬頭が1つずつ加わり（専門的には、アンテロスタイル、エンテロスタイル）、前後にはつながることのない「くの字線」の新フォーメーションが出来上がり、そして顎を前後に動かすといった特徴を獲得したことになる。

その証拠が、パキスタンのネズミ化石でみられるのだ。ジェイコブス先生たちの研究から詳しく見てみよう。

最も原始的なネズミの名はポトワールムス（*Potwarmus*）といい、約1600万年前のパキスタンの地層から発見されている。ポトワールムスの歯は、前後を結ぶ稜線がかすかに存在していたり、2つの新しい咬頭があってもそれほど発達していなかったりと、古い特徴を持っている。次に、ポトワールムスから進化したアンテムス（*Antemus*）の歯を見てみると、前後を結ぶ稜線が完全になくなり、新しい咬頭がより大きくなっている。そして、約1200万年前になるとプロゴノミス（*Progonomys*）という名の種類が登場する。

このプロゴノミスは、専門家にとっては聞き慣れたネズミ化石である。というのも、南アジアから遠く離れたヨーロッパや東アジアからもプロゴノミスが見つかっているからである。南アジアやその近隣地域のゆりかごに揺られていたネズミの化石種は、この時代、ユーラシア大陸の広い範囲に一気に放散していったのだ。アフリカに到達し、アフリカで独自に進化したグループもいる。そしてアフリカのゆりかごを飛び出したヒトといろいろな地域で出会い、世界中を旅し、大航海時代にはアメリカ大陸に渡ったのである。

4 ネズミの進化の分かれ道：形態編

ポトワールムス（*Potwarmus*）→アンテムス（*Antemus*）→プロゴノミス（*Progonomys*）と続いたネズミ類の進化の針をもう少し進めてみる。

パキスタンでは、中新世後期（約900万年前）になると、体サイズが明らかに異なる2つの系統が登場した。小さい種は現生のマウスほどの大きさのプロゴノミスで、大きい種は現生のラットくらいの大きさのカルニマタ・ダーウィニ（*Karnimata darwini*）だ。余談だが、カルニマタ・ダーウィニの「ダーウィニ」はチャールズ・ダーウィンにちなんだものである。ジェイコブス先生が命名した。

これら2種は明確に大きさが違うので、それ以外の情報がなくても簡単に分けられてしまうのだが、両者を分けるもうひとつ大きな特徴があって、それが前述のアンテロスタイルと、「くの字線」に関係する。

アンテロスタイルに注目して観察すると、プロゴノミスでは細長く、カルニマタでは丸い。それにカルニマタのほうが、「くの字線」同士の間隔が狭く、「く」の形が大人の書くおしゃれな「く」の字のように縦長である。

この違いはとてもはっきりしていて、顕微鏡を覗きながら「なるほど」とニヤニヤしてしまうほどである。

「くの字線」同士の間隔が狭いとは、つまりどういうことなのか。それは、洗濯板をイメージするとわかりやすい。洗濯板は長方形の板に溝が平行に入っていて、その溝に直交する方向にゴシゴシすると、手洗いでも汚れがよく落ちる。

顎を前後に動かして食べるネズミ類にとって、歯の「くの字線」は、洗濯

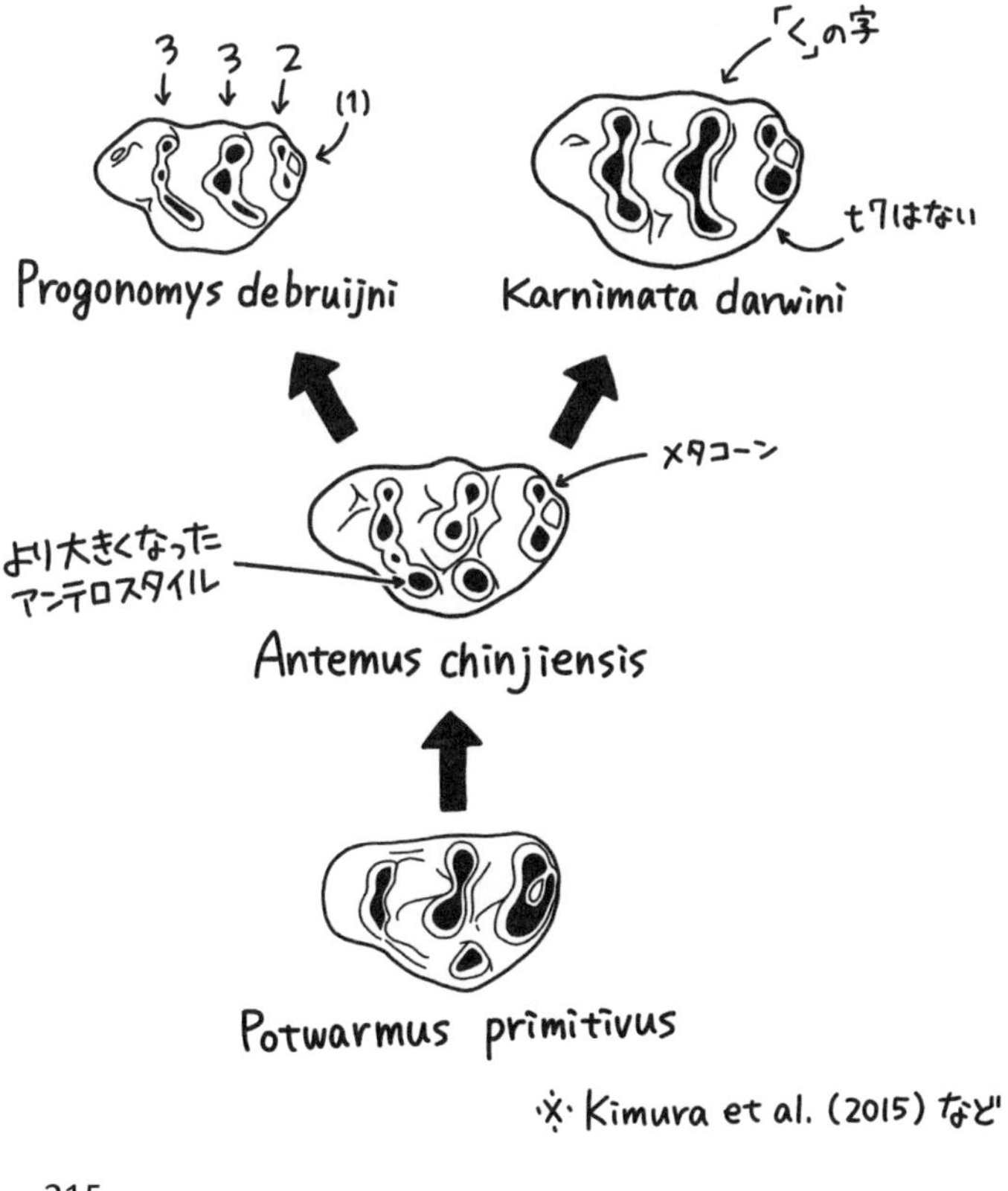

板の凸凹と同じなのだ。ということは、カルニマタのほうがプロゴノミスよりも、噛んですり潰すのに都合が良い歯ということになる。

このプロゴノミスとカルニマタが持つ歯の特徴の違いは、約650万年前の地層から見つかる化石種にもみられる。パキスタンで誕生したネズミ化石は、どこかで進化の分かれ道を経験して、大きく分けて片方はプロゴノミス系統、もう片方はカルニマタ系統になったのである。

ジェイコブス先生は、約650万年前のプロゴノミスに似た化石が、現生のハツカネズミ属（*Mus*）の最も古い化石種だと考えた。人類と類人猿が分岐したのは、約600万年前～約500万年前なので、だいたいその頃にはハツカネズミ属はこの地球にすでに生息していたということになる。

ジェイコブス先生の研究は、化石の種類を決める分類学に重きを置いた仕事であったが、そこから、初期のネズミ類が大きく2つの系統に分かれるという仮説が生まれた。この2分岐が、のちに登場する分子系統学で有名になるので、次の章まで覚えていてほしい。

分子系統学
DNAの塩基配列の違いによって生物同士の近縁関係を調べる学問。

ジェイコブス先生がこの研究を進めていた当時は、パキスタンが森林から草原へと様変わりしたこともまだ明らかになっていなかった。先生の論文以降も現地で発掘が続けられ、ここでもっとたくさんのネズミ化石が見つかって、いろいろなことがわかっていったのである。私がバトンを受け継ぐ頃には、約1400万年前~約650万年前までの化石記録が連続していて、時系列的な変遷を研究するにはもってこいの環境になっていた。

森林から草原へと変わった生息地で、2つの系統に分かれたネズミ類。競争し合う2種は新しい環境に適応しながら、食べ分けをし、それぞれの食べ物に合わせて歯の形態を変えていったはずだ。どのように適応していったのだろう。その謎を解くカギは化石証拠としてちゃんと残っているだろうか。

ひたすらに、ネズミ化石と向き合い続けることにした。小さなガラス瓶から化石を取り出して、記録をとって、元に戻すという作業を300回くらい繰り返して、データベースを作り、そのデータベースを見ながらどの化石を形態解析するか決めた。パソコン上でぐるぐると3次元モデルを回転させせるようなかっこいい解析もやってみたかったが、研究費を確保するためのオトナの戦いに敗れ、2次元データを使って地道に解析することにした。

5 ネズミの進化の分かれ道：食性編

約800万年前〜約600万年前の移り変わり期にパキスタンの植生景観はガラリと模様替えしたのだが、実はこの時代のパキスタンからは、花粉化石も含めて植物化石はほとんど見つかっていない。

それではなぜ、植生景観が変わったといえるのか。その答えは、古土壌(こどじょう)中の炭酸塩(たんさんえん)ノジュールから復元する植生にある。

土壌の成り立ちを考えると都合がいい。

火山岩や堆積岩や変成岩といった類の岩石が太陽光や雨にさらされると、物理的に岩石が割れるだけでなく、岩石を構成するケイ酸塩鉱物などから水に溶けやすいイオンが雨水の中に溶脱して風化が進む。それと同時に、ボロボロになった岩石には植物が生え、やがて枯れると、そこに微生物が集まるようになる。この岩石の風化作用と生物による土壌化作用によって土壌は作られるのであるが、炭酸塩ノジュールは、表層で溶け出したカルシウムイオンが下方で再結晶して塊となったもので、乾燥した地域の土壌には多く含まれる。

炭酸塩ノジュールの主成分である炭酸カルシウム（$CaCO_3$）には、土壌由来の炭素（C）が入っており、炭素の安定同位体比が土壌を覆う植生を反映しているのだ。

「安定同位体比」という、難しそうな専門用語が出てきてしまった。詳しい説明は専門書にお任せすることにして、ここでは専門家なら少し眉をひそめる程度の、「大まかには正しい」レベルで説明しよう。

炭素の安定同位体比とは、原子量12の炭素に対する原子量13の炭素の比率（$^{13}C/^{12}C$比）を国際的な標準物質との比較として測定し、千分率（‰：パーミル）で表現したものである。

生物は、食べ物や空気中から取り込んだ炭素を体の中のいたるところで利用しているのだが、取り込む炭素の^{13}C／^{12}C比は生物によって異なったり、個体のなかでも部位によって異なったりする。植物の場合は、光合成による空気中の二酸化炭素を固定するシステムの違いで^{13}C／^{12}C比が大きく異なり、C3型光合成タイプとC4型光合成タイプとCAM型光合成タイプに分けられる。その多くはC3型光合成タイプで、森林を構成する樹木もそうである。C4型光合成タイプは半分以上が草本であり、イネ科に多い。炭素の安定同位体比でみると、C3植物とC4植物では平均してだいたい15パーミルほど違い、この差は炭酸塩ノジュールにも現れる。C3植物の樹木が多い土壌中の炭酸塩ノジュールは軽い値になり、C4植物の草本に覆われた土壌中の炭酸塩ノジュールは重い値になる。

中新世後期に二酸化炭素の濃度が低下したことや乾燥化が進んだことが、C4植物の草原が世界中で拡大したことに関連すると考えられているが、パキスタンは世界中で調べられた地域のなかでも、炭素の安定同位体比のシフトが最も明瞭に現れるのだ。

この章の前半に登場したジラフォケリックスやヒッパリオンについても、歯エナメルの中にわずかに含まれる炭素の安定同位体分析によって、ジラフォケリックスはＣ３植物しか食べていなかったこと、対してヒッパリオンの系統はＣ４植物も消費するようになっていたことがわかっている。

では、ネズミ類ではどうだろう。小さな動物なのでそれほど餌を必要としないし、そもそも彼らは雑食性である。選択的に食べたいものだけ食べることができれば、多少環境が変わっても、食性まで変える必要はなかったかもしれない。同位体比だけで、近縁な２つの系統が同所的に存在し得た理由がわかるだろうか。それに、彼らの歯はとても小さい。この小さすぎる歯を分析することは可能なのか。

調べてみると、パキスタンの哺乳類化石の同位体分析に関わったユタ大学のトゥリー・サーリング博士のお弟子さんが、赤外線レーザーを照射して小さな歯の同位体分析をすることに成功していた。その装置は既存の赤外線レーザーを力スタマイズしたお手製のものであるようで、普及している様子はなかった。でも、小さい歯の安定炭素同位体比を分析するにはこれが唯一の方法であるようだ。さてどうしたものかと実験室を管理している先生にこの話をしてみたところ、「紫外線レーザーでよかったら同じメーカーの装置があるよ」と教えてくれた。

早速、論文を参考に「読みよう読みまね」で、紫外線レーザー装置を質量分析計につなげてみた。しかし、いざレーザーを打ってみたがうまくいかず、レーザーを当てたところを電子顕微鏡で観察すると、えぐれたような小さな穴ができていた。何だろう。

ちょうどその頃、サーリング博士たちがユタ大学で主催する「同位体キャンプ(Iso Camp)」という大学院生向けのワークショップに参加できることになり、憧れのサーリング・ラボにも訪問させてもらった。紫外線レーザー装置で試してみたのだけどうまくいかないという話をしたら、「そう！　そうなの!!　紫外線レーザーだと歯が小さくはじけ飛んじゃうだけなんだよね♪」と弾んだ声。先生にも試してダメだった経験があるようだ。無念である。研究の世界では失敗を論文にすることはほとんどないのだが、失敗も論文にすべきだと心の底から思った。

小道具係も兼ねてしまう木村さん。カタログをめくりながら「高いなぁ」と呟いたと思ったら、ドリル片手に工作を開始。「呼気サンプリング容器を作ったぁ!」などと言っては喜んでいます。

サーリング博士曰く、赤外線レーザーの手法は分析方法を確立した後も、実際には古生物サンプルへ応用したことはないそうで、ぜひ分析しにラボにおいでとお誘いいただいた。超がつく大御所なのにフレンドリーに接してもらえたのがすごくうれしくて、さらにラボも使わせてもらえることになり、冬にユタに戻ってくるのが楽しみになった。

6 ネズミの進化の分かれ道：その後

2次元データを使って地道に形態データを取ることにしたので、定規やノギスを使ってひたすら計測といきたいところなのだが、なんせ2ミリ程度の化石を扱っているためノギスを当てられない。ということで、デジタル顕微鏡の写真から計測値を得ていった。これら直線的な計測や角度の計測と、さらにもうひとつ、複雑な形態をより包括的に調べるために、ランドマークを使った幾何学的な解析

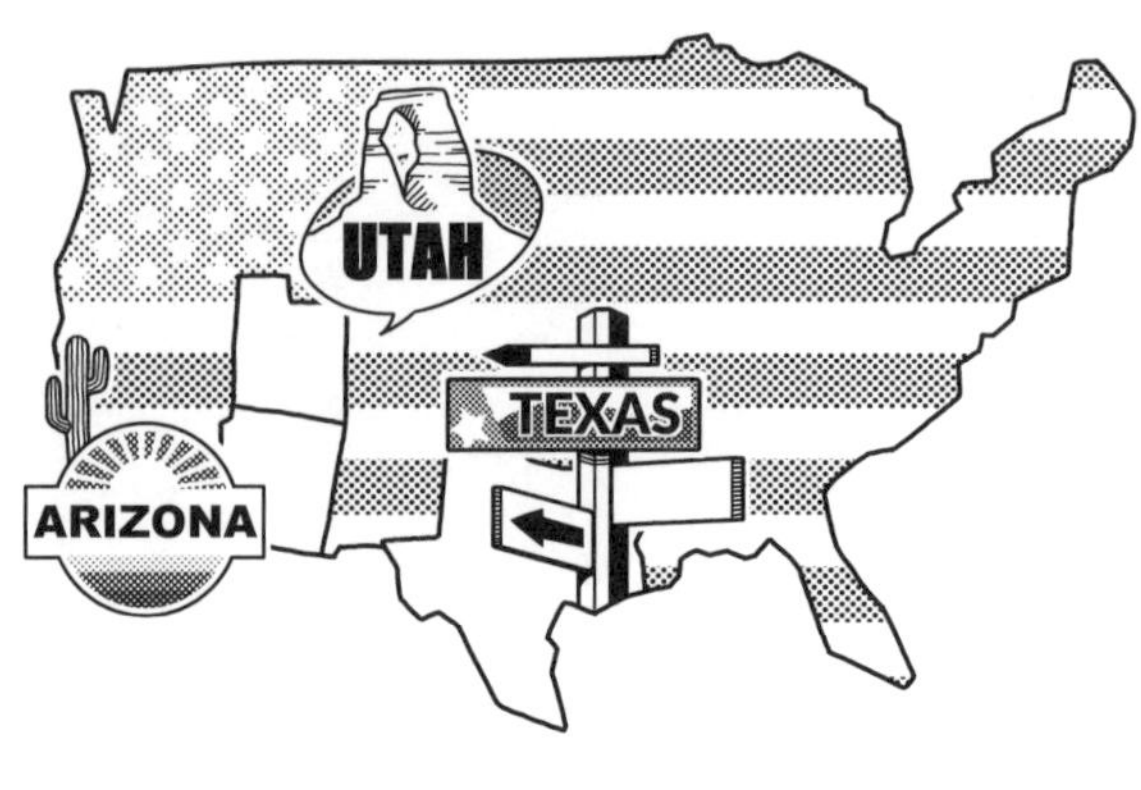

を加えることにした。形態的に意味のある相同性の高い場所にランドマークとなる杭（くい）を打ち、その杭をラインでつなげることで、形態を単純化させる。杭は何個あっても、多次元の空間に1個体が1点としてプロットされる。こうやって形態を調べていくと、ジェイコブス先生が見ていた形態の差が数字として現れてきた。

　ユタでの同位体分析は形態解析よりも地道な作業だ。安定同位体比を分析する質量分析計は、上手にメンテナンスされていれば「お任せ」の作業になるのだが、赤外線レーザーを打って二酸化炭素ガスを分析計に流すところまでは神経をとがらせて行なわなければならないような手作業が多く、1つのサンプルの分析にも15分くらいかかる。一度セットアップすると夕方に終えてしまうのはもったいなくて、連日深夜になるまで作業した。

レーザーを当てるとパチッパチッとはじける音がして、化石にクレーター状の凹みができる。赤外線レーザーは熱によって歯エナメルの炭素を二酸化炭素にするので、できたクレーターはガラスのような質感だ。少なからず化石を傷つけるので作業をする時は緊張して、怖い顔でモニターと睨(にら)めっこしていた。幸い、一番小さなプロゴノミスでも分析に足りるギリギリの二酸化炭素ガスが検出できて、ほっとした。実は紫外線レーザーではこの二酸化炭素が出ない。だから失敗したのである。

真冬のユタに2か月ちょっと滞在し、

(右) 赤外線レーザーの装置。ガラスのチャンバーの中にはステンレス板があり、そこにサンプルとなる化石を載せる。

(下) ステンレス板に載せた化石と現生ネズミの歯。最近ではこのようにデジタルでメモをとることも増えた。

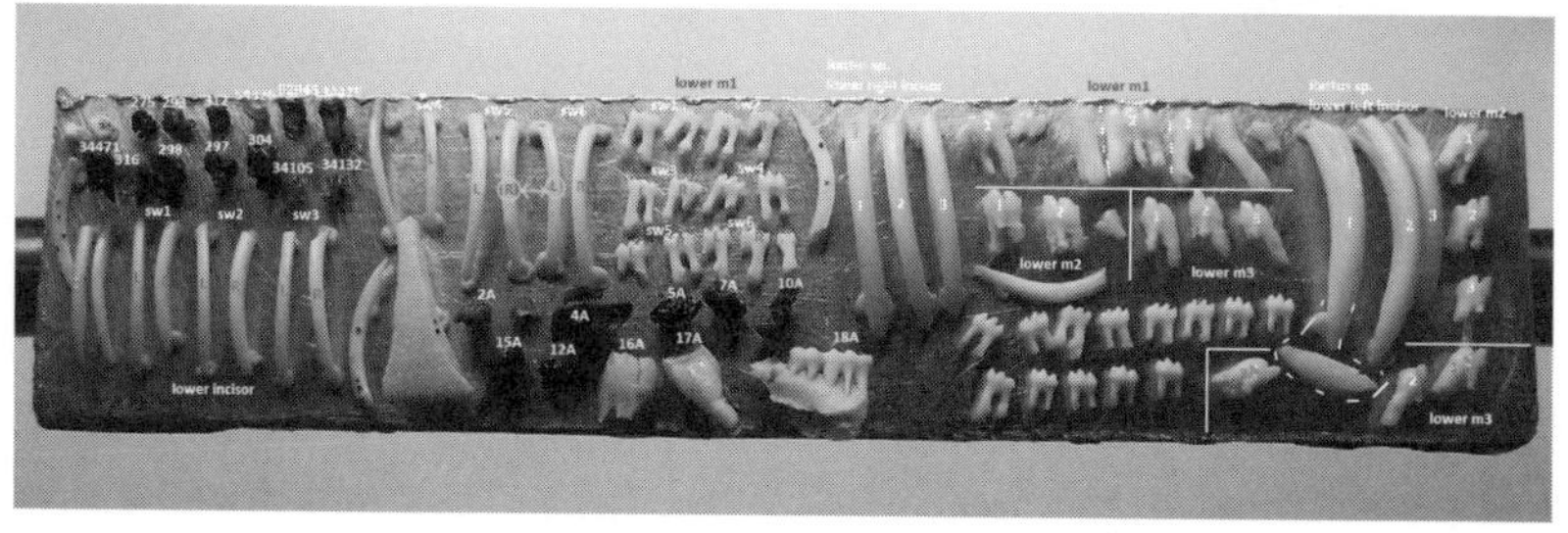

全ての分析を終えた。３月にダラスに戻ってくるともう夏間近のように暑く、空港からの帰り道、友人が運転する冷房が壊れた車の中で緊張までもが一気に溶け出したのを覚えている。

形態解析と同位体分析の両方を合わせると、ネズミ類がたどった進化の分かれ道の「その後」が見えてきた。

まず、森林から草原へと移り変わった期間に、ネズミ類は、プロゴノミス系統でもカルニマタ系統でもＣ３植物採食者からＣ３／Ｃ４混合植物採食者へと急激に変化したようだ。この安定同位体の結果は、古土壌中の炭酸塩ノジュールから推定される植物生態系の変化にとても似ている。大型哺乳類の場合、ウマ類がＣ４植物を選択的に摂取し始める時期は、それよりももっと早い。もしかすると、過去の植物生態系を復元するという点において、ネズミ類は大型哺乳類よりも優れているのかもしれない。またカルニマタ系統のほうがＣ４植物を多く摂取することで、プロゴノミス系統と食べ分けをしていたことがわかり、約９００万年前以降その関係が続いたようである。

友人が運転する〜
車のダッシュボードに足をかけ、「good to be home!!」と叫んだ。

そして、互いに似ている形態から異なる形態へと進化していく様子を形態情報から可視化してみると、カルニマタ系統のほうが祖先的な形からの変化量が大きく、しかも硬い食べ物を効率良くすり潰すための形態への適応の選択圧が強く働いていた。それは、カルニマタ系統の化石種の歯の「くの字線」が、おしゃれな縦長の「く」で、2本の線の間隔が狭いという特徴に現れている。食性は植生の変化に、歯は食性の変化にすばやく対応していた。そして、カルニマタ系統のほうが、新しいパキスタンの植生に適しているようだ。

ネズミの進化なんて、大発見とはいえないかもしれない。

でも、絶滅した小さな動物の進化を「食べる」という行為で追跡できるなんて、すごいじゃないか。

7 蕁麻疹と博士号

さあ、5月の卒業に向けて博士論文を書かねばと意気込んでいた冬、ビザの更新のために一時帰国することになった。これには、これから立ち向かわなければならない論文執筆に備えて英気を養うという意味もあったのだが、帰国後すぐに足に蕁麻疹ができてしまい、ダウンした。痒いし痛いしで夜も眠れない。

そのうち足だけでなく身体中が熱を持つようになってしまった。大学の友人に病院に連れて行ってもらい、アレルギーテストを受けていくつかの薬を処方してもらったおかげで、眠れなかった頃が嘘のように回復したが、結局原因はわからずじまいだった。自分でも気づかないうちに博士論文が相当なプレッシャーになっていたのかもしれないが、それよりも、追い込みをかけるはずの大事な1か月間がまるまるなくなってしまったことは痛かった。ここから挽回するのは難しそうだ。

ならば、交渉である。

幸い、私には一つ切り札があった。

サザンメソジスト大学では、それまで修士号を持っていないと博士課程に入学できないシステムであったのだが、私が博士課程に入った頃から、大学4年生を卒業すれば修士号を取らずに博士課程に直接入学できるシステムが導入されていた。大学を卒業してすぐに博士課程に入ると聞くと、不思議な感じがするが、アメリカではそれほど珍しくない。大学院で取らなければならない授業の単位数が多いので、修士号と博士号で別々の論文を書いていては、他国と比べて長い時間がかかってしまう。それを解消するために、修士論文を書かなくていいシステムが増えたと聞いたことがある。

博士号を取得するには、博士論文のほかに研究論文を3つ書くことが条件であった。研究論文3つの内容を再構成して博士論文としてまとめることは認められているので、実質的には3つのテーマについて論文を書けばいい。

さて交渉はここからだ。論文を3つ書くことが今のシステムの条件で、修士号は必ずしも取る必要はないのだとしたら、すでに書いた修士論文をそのカウントに入れてもいいのではないか？　修士論文はすでに国際誌3本として発表していたので、それを持ってジェイコブス先生に相談すると、「そりゃそうだ」とあっさり交渉成立となった。博士論文は、形態解析と同位体分析の2本仕立てで書くことに決めた。

卒業は春と冬の2回チャンスがあるのだが、5月の卒業式のほうが断然いい。著名人が祝辞を述べてくれるし、ガウンを着た卒業生が一堂に集まり、博士号取得者は学長から直接学位記を授与され、フードを掛けてもらえるのだ。交渉がうまくいったので、なんとか春の卒業式を狙えそうである。ガゼン燃えてきた。ダラスの陽気な空の下で卒業を祝うことを夢見ながら、まるで大学の受験勉強の時のように研究室にこもって、カタカタカタカタとパソコンを鳴らした。

博士論文を提出し仮合格がもらえると、最終関門であるディフェンス（最終審査）が開かれる。博士論文の審査委員は、指導教官、副教官3名、外部審査委員

1名の5名から構成され、彼らが博士論文の内容に納得し合格を出さなければ、博士号はもらえない。

ディフェンスには決まった制限時間はないが、だいたい3時間くらいで決着がつく。口頭発表が1時間弱、そのあとに聴講者の質問タイム、そして全ての聴講者を外に出して、審査委員から1時間ほど質問を受ける。自分が退室し、審査委員だけでの話し合いが行なわれ、ようやく合格かどうかがわかるのだ。

ディフェンスはめちゃくちゃ緊張感があるのだが、そのなかに「お祭り感」もある。学部にとっても一大イベントなので、大学院生なら自分の学部でディフェンスがある時はスケジュールを空けておくし、友人のディフェンスならば、他学部だって応援に駆けつける。だから聴講者のほとんどは同僚や友人、先生など顔見知りばかりだ。いつもボロボロの洋服を着ている博士候補生も、この日ばかりはスーツを着ておしゃれをするし、家族が駆けつけることもある。

私も大学カラーであるブルーのスーツを新調して、当日を迎えた。親友のルウとジョンヒョンも当然のように朝から付き添ってくれ、テキパキとピザを用意してくれた。アメリカ人の好物で場を和ませるという、日中韓合同ピザ作戦である。

いざ発表が始まると、意外と冷静でみんなの顔もよく見えた。博士論文の審査委員は、すでに感慨深い顔でこちらを見ている。そこには、私が大学に入り立ての頃、ヨシ・コバヤシの学生時代の偉業を教えてくれ、ニヤリと笑って「おまえも頑張れよ」と良いプレッシャーをかけてくれた学部長がいたし、蕁麻疹が出た時に真っ先に病院に連れて行ってくれた、「アメリカの母」であり年の離れた親友であるヴィッキーも、ヴィッキーの旦那さんで、かつ地質学者でもあり学校長（！）でもあるジムもいた。いつもおしゃべりの相手をしてくれた「アメリカのおじいちゃん」で、実は石油地質系の権威でもあるジェームスも来てくれた。こんな人たちに囲まれた今日が、まさにサザンメソジスト大学での集大成だと思った。ピザの匂いと笑顔に包まれて、最高のディフェンスになった。

5月の卒業式は、空港に両親を迎えに行くところから、楽しみで仕方がなかった。学校カラーでデザインされた式服（アカデミック・レガリア）は威厳があり、博士としてのキャリアを積んだ教授たちにはぴったりであったが、自分にはまだぎこちなかった。これだけ長いこと学生をして、学生としての最後の舞台で初々しい姿になれるレガリアとはすごいものである。サザンメソジスト大学のカラーは赤と青なので、青を基調としたガウンには袖に赤色の三本線が入っている。角帽ではなく、赤のベレー帽をかぶるのがサザンメソジスト大学の博士号のスタイルだ。緑色の芝生とどこまでも透き通った水色の空の間で、レガリアがとても映えていた。学長にフードをかけてもらうと、カメラの中には立派な姿の自分がいて、忘れられない一日になった。

学位授与式の後、学部の卒業式にて。写真左からジェームス・クイック博士、筆者、ジェームス・ブルックス博士、ルイス・ジェイコブス先生。

第11章 自分のモノサシ、進化のモノサシ

1 もがいて、もがいて。

博士号を取得すると、Ｄｒ．（ドクター）がつく。実際に「ドクター」と呼ばれるような機会はほとんどないけれど、長かった学生生活へのご褒美に相応しい重厚な響きだ。ドクターといえば一般的には医療系に従事されている先生を思い浮かべると思うが、こちらのドクターはすぐに安定した仕事を得られるわけでは

ない。多くの場合でポスドクという期間限定の研究職を得てさらに修行することになる。大学を卒業して、さらに勉強をして、その先にある修行期間だ。大学の先にもたくさんの修行期間があるなんて、驚きだろう。

ポスドクの期間は1~3年と短い単位であることが多いので、仕事が見つかってほっとした矢先に、次の仕事を探すことになる。研究はすぐに結果が出なかったり、一生懸命頑張っても思った成果にならないこともあるにもかかわらず、定期的に仕事探しの競争に立たされる。想像するだけで疲れてしまいそうだ。

振り返ってみると、大学院時代には「あの時にこうしておけば」というような後悔がないほどに、研究者になりたいという憧れの情熱を燃やした。自分を高めるチャンスもあった。だけど、結果的に博士号取得まで最短の人よりも3年も長くかかってしまったこともあり、私のなかにも確実に疲れがたまってきていたのも事実だ。

もがいて、もがいて、ようやく少し上のステージにたどり着くと、そのステー

ポスドク

ポスドクという仕事にはいくつかの種類があって、国や大学の助成金を競争で得ることができた人は、自分の好きな研究を自分のペースで進めることができる。自分の好きなことをできるというのは、やはり研究者の道としては花形なのだと思う。また、大学の先生が持っている研究費で雇用され、先生の研究テーマを課題として研究し、論文成果として貢献することもある。手法や見識を広げるためにも、あえて研究室の「雇われポスドク」を選ぶ人もいる。どちらも大変だがやりがいがある。

ジには、同世代のスター研究者がいた。彼らにはとても敵わないということも、ずっと前から気づいていた。毎年参加しているSVPでは、自分には思いつかないようなテーマや新しい解析方法をたくさん目にする。そんなすごい発表をしているのが、自分と同じくらいの年齢の人であることもある。そんな発表を見て、学生のうちは「すごいなー！　次の年には自分も近づきたいな」と思ったものだ。この頃はまだ、自分との戦いであることが多かった。しかし、一人前の研究者になるには、ここからは多くのライバルたちとの戦いになる。

自分がまわりと比べてキラッと光る研究をしているのか、そんなことを考えると、正直なところ、なかなか自信が持てなかった。「好きだ、好きだ」という気持ちで続けてきたが、いつの間にか、この戦いに生き残れるかという不安が大きくなり、それはプロの研究者として生きるには正しいプロセスなのだと思うが、憧れと現実のはざまで気持ちが揺さぶられるようだった。

この頃になるとアメリカ生活も8年になり、生活基盤は完全にこちらで出来上がっていた。そんなこともあって、帰国するという選択肢が自分のなかで浮かばず、ポスドク職を探すにあたってもアメリカを基準に考えることにした。

留学生としてアメリカに滞在している身分にとっては、ビザ（在留許可）を取得できるかという心配事がひとつ増える。外国人として国にいるというのはすごく不安定なことなのだ。卒業すると学生ビザは切れてしまうものなのだが、幸いアメリカでは、科学・技術・工学・数学といった通称ＳＴＥＭ（ステム）と呼ばれる分野にはＯＰＴ（オプショナル・プラクティカル・トレーニング）という研修制度があり、これに申し込めば、学んだことを生かしながら1年間はアメリカで働くことができる。1年間だけでもとりあえず小難しいビザについて考えなくてよいのはありがたいということで、この研修制度に申し込んだ。

さあ、ポスドクを探そう。

自分を売り込まなくてはいけない時期になっても相変わらず自信は芽生えず、これは研究者としては致命的なことだった。しかし、恐る恐るポスドク探しを始めた矢先、私の頑張りを最も近くで見てくれていたジェイコブス先生に部屋へ呼ばれ、サザンメソジスト大学で1年間ポスドクをしないかというオファーを提示された。しかも、自分のやりたい研究をどこでやってもいいという破格の条件だ。かわいがってきた学生にいくら情があったとしても、そこまでのオファーは普通ならできない。あまりに突然の話に戸惑っていると、「君次第だよ」とジェイコブス先生は言った。

「そのオファー、受けます！」

こうして、この上ない好条件でサザンメソジスト大学のポスドクがあっさりと決まった。ジェイコブス先生が、私のこれまでの実績からそう判断してくれたことであるから、言い換えれば、過去の自分の積み重ねが「今の私」を助けてくれたということだ。オファーは「獲得するもの」であって、「いただくもの」ではないと、ジェイコブス先生が教えてくれた。

2 進化のモノサシ

この1年間のうちに行ないたいことは次の3つだ。

1 次のポスドク先を探す（できれば自由に研究ができるポスドク職）。
2 博士課程の研究結果でデータにしたネズミ類化石の形態分化の重要性を引き出す。
3 将来5年間につながるような研究テーマを模索する。

要は、自分探しと論文成果の積み上げである。

2は、ポスドク1年目のテーマだ。博士課程では、パキスタン・シワリク盆地の豊富な齧歯類化石を対象として、真のネズミ（ネズミ亜科）の進化史について研究した。パキスタンが、ネズミの進化史を追跡するには最高の場所であることは、10章で紹介した通りである。

博士論文では、ネズミ亜科の進化初期段階で、歯の形態が大きく2つのグループに分かれるイベントが起こったことを示した。この形態の分かれ道は、2つの「とある系統グループ」が共通の祖先から「分岐した」ことを意味するのであるが、ネズミ類は今の地球上で大繁栄をしている現生の動物なのだから、「とある」ではなく、すでに立派な分類名を持ったものであるはずだ。すべての生物種が枝と枝でつながった系統樹のなかで、この「とある」にあたる枝はどれなのか。それを知りたい。

この研究の重要性を説明するには、私が研究対象としているパキスタンのネズミ化石が分子系統樹に大きく貢献してきた経緯をまずお話ししなくてはいけない。分子系統樹では、ＤＮＡの塩基（えんき）配列の違いを利用して生物同士を系統の枝で結んでいくのだが、この系統樹には、枝が分かれたという情報は載っていても、「いつ」枝が分かれ種分化が起こったかという情報は載っていない。このハイテクな分子系統樹に年代というモノサシを入れることができるのが、化石なのだ。パキスタンのネズミ化石記録は連続的で、進化を追跡することができるため、

系統樹のイメージ

「進化のモノサシ」としてたびたび利用されてきたのである。

それぞれの生物はＤＮＡの塩基配列に違いがあるので、塩基配列の変異のスピードさえ把握できれば、まるで時計の針を戻すかのように、過去に起こった種分化のタイミングがわかる。それは「分子時計」という名前で知られ、この腕時計にでもしたくなるようなかわいらしい名前が私は結構気に入っている。

ただし、塩基配列の変異はどの動物でも一定というわけではないので、ゾウの進化スピードをネズミに応用することはできない。

そこで、分岐年代を正確に推定するには、「年代の信頼性が高く」かつ「ある種（もしくは系統）の、最も古い」化石を見つけ出し、その化石の年代によって、分岐の枝に年代の制約を設ける。パキスタンのネズミ化石はネズミのための「進化のモノサシ」。最古のネズミ亜科の化石が約１６００万年前の堆積物から見つかっているのだから、ネズミ亜科が誕生（出現）したのは確実に１６００万年前よりも前であるといえるわけだ。

パキスタンのネズミ化石のうち、約1200万年前の地層から発見されたプロゴノミスは、「ラットとマウスの分岐年代」のモノサシとしてたびたび利用されていたのだが、私はプロゴノミスをこの分岐年代モノサシにするには、肝心の古生物学的な根拠がないと感じていた。

感じてはいたが、その証拠はない。だからそれを探すのが、この1年間の研究テーマであった。

3 ポスドクの答え

場所を選ばずどこで研究してもいいという好条件をフルに活かすため、ずっと長期滞在したいと思っていたハーバード大学の先生とユタ大学の先生に連絡を取った。

ラットとマウス
ラットはクマネズミ属(*Rattus*)、マウスはハツカネズミ属(*Mus*)。ここでは親しみを込めてクマネズミ属をラット、ハツカネズミ属をマウスと呼ぶ。ちなみに、ピクサー映画『レミーのおいしいレストラン』のレミーはクマネズミ(*Rattus*)、ディズニーの人気キャラクターであるミッキー・マウスはおそらくハツカネズミ(*Mus*)である。

ハーバード大学のローレンス・フリン先生は小型哺乳類化石の知識では世界トップクラスを誇る古生物学者で、アジアの化石、特に南アジアの化石を得意とする。もともと私がパキスタンの化石を研究したいと思うようになったのも、フリン先生の論文を読んで、気持ちがどんどん膨らんでいったからなのだ。彼のアイデアなどを取り入れながら研究すればポスドクの研究テーマも解決するかもしれない。

10章にも登場したユタ大学のトゥリー・サーリング先生は、歯の結晶に含まれる安定炭素同位体比を使って絶滅した哺乳類が食べていた餌を復元するという研究をされていて、この分野のパイオニアである。モンスーンの発達が植物生態系に影響を与えたことで植物食の大型哺乳類の一部が食性を変化させるというイベントが汎（はん）世界的に起こっていたことを示し、古生物学の可能性を広げた研究者だ。サーリング先生のラボには博士論文のための分析でお世話になったのだが、もっと滞在して長期的に勉強したい気持ちになっていた。

ドキドキしながらお返事を待つと、「ぜひおいで！」とうれしいメールが届いた。

何を隠そう、ポトワール高原のことを「哺乳類の進化の劇場」と喩えた先生はフリン先生です。

そして数週間後には、まずはボストンにあるハーバード大学で、その後はユタ州に移ってユタ大学で、客員ポスドク研究員をさせてもらえることになった。

ダラスのアパートに置いていた家具を売り払い、アパートが空っぽになると、いよいよボストン行きが現実味を帯びてきた。最低限の荷物をボストンに送り、そのほかは、友達のお家と、サザンメソジスト大学の空き部屋にこっそり隠した。

ハーバード大学では比較動物学博物館（MCZ：Museum of Comparative Zoology）にこもり、朝から晩まで、ひたすら骨格標本を眺めた。「パキスタンのネズミ化石はどんな進化のモノサシなのか」というポスドクのテーマを明らかにするには、化石だけを知っていても答えは出ないので、とにかく現生のネズミ類について勉強したかった。

ガラス瓶から慎重に標本を取り出し、実体顕微鏡でじっと見つめる。勉強のために頭骨も観察するが、それよりも時間をかけたいのが歯のカタチである。なんせネズミのように小さい動物の場合、化石が残るのは歯ぐらいなので、今生きている動物と比較できるパーツも自然と歯に限られる。
歯の咬頭には全て名前が付けられている。名前があるのだから大事なワケだ。大事とは、古生物学においては種の分類に使えるという意味である。ネズミの基本形である〈3個・3個・2個・1個〉の9つの咬頭が相対的にどのように配置しているのか、どんなカタチをしているのか、どこがつながっていてどこが離れているのか、主要な咬頭以外にも咬頭はあるのかなどを調べることで、カタチの違いを見出していく。
550種類以上もいるネズミ亜科の全体像を把握するためには、近縁なものから遠いものまでバランスよく観察したい。そこで、最新の齧歯類の系統樹を掲載した論文をゲットし、顕微鏡の横に起きながら、「おはよう」から「さようなら」までひたすら観察した。

「楽しい」

学部から修士課程へ、そして博士課程へと歩みを進めるうちに、古生物は勉強する対象から研究する対象へと代わり、そして、新しいものを発見するための競争という意識も生まれた。それによって、いつの間にか、「楽しい」という気持ちが「論文を書かなくてはいけない」「研究費を獲得しないと」というプレッシャーの霧の中にかすんでしまってもいた。

でも、たったひとつの問いを解決するためにひたすら観察する、この時間が好き。

顕微鏡を覗きながら自分と対話する時間が増えて、やっぱり古生物学者になりたいと思った。散々迷いながら、悩みながら進んできた自分探しの旅の答えが出たような気がした。

そしてもうひとつ掲げていた大切なテーマについても、答えにつながりそうな光が見えてきた。ひたすら標本を観察し、気になることはメモし、また観察するということを繰り返しているうちに、重大な発見をしたのである。

化石種でも現生種でも、ネズミ類（ネズミ亜科）は上の歯の各咬頭が後ろに向かって傾いていて、咬頭が工事現場の三角コーンのように真っ直ぐ立っている近縁のハムスター類とは簡単に区別できる。しかし、そんなネズミ類のなかにも例外がいるようだ。それらのほぼ全てがArvicanthini族(ぞく)というグループのネズミ類で、彼らの場合、メタコーンという咬頭だけは後ろに傾かず真っ直ぐ立っていた。

実は、パキスタンの化石でみられる2分岐のうち、片側の枝（カルニマタ系統）には、「真っ直ぐのメタコーン」という特徴がだんだんと系統内で固定していく様子がみられていた。もしかすると、パキスタンの化石の片側の枝はArvicanthini族なのかもしれない。

Arvicanthini族に属する現生のネズミ類は、ほとんどがアフリカ（主にサハラ）に生息しているのだが、唯一の例外であるエリオットヤブネズミ（*Golunda elliotti*）だけはインドを生息地とする。かつてパキスタンやインドなどの南アジアで栄えたArvicanthini族というグループは南アジアでは1種を残して絶滅してしまったが、渡った先のアフリカで今も繁栄しているということか？

ハーバード大学のMCZが所蔵するArvicanthini族の標本はあまり多くなかったので、ポスドクのテーマへの決着は少し先延ばしになったのだが、ポスドクの

Arvicanthini族
Arvicanthini族に標準和名はないが、この族名の元になっている*Arvicanthis*にはサバンナネズミという和名がついている。

族
リンネ式の分類体系において、「属」よりも大きく、「亜科」よりも小さい単位。

課題であった自分探しと論文成果ということに対して、自分なりの答えに近づけた。

4 ボストンの灼熱ボロアパート

ハーバード大学があるボストンは、アメリカで最も歴史の古い街のひとつで、アメリカがまだイギリスの植民地だった頃に建てられたレンガ造りの古い建物と近代的な建物が調和しているおしゃれな街だ。石畳の街路を歩けば、散策している人や自転車に乗っている人とすれ違い、まるでヨーロッパにいるような気分になる。石油ビジネスで大成功した巨大な都市ダラスが、私にとっての「アメリカの基準」であったので、初めてボストンに来た時は街並みの違いにとても驚いた。

アメリカ東海岸で聞くスピード感のある英語も、テキサスの南部訛りのゆっくりした感じとはだいぶ異なるので、アメリカにいながら「ここは自分の知っているアメリカじゃないなー」という気持ちになった。本当は逆で、テキサスのほうが南部の田舎という感じなのだけど。

キラキラの街ボストンは物価が当然のように高く、アパートを1室借りるにも安くて1200ドルくらい、普通は1500ドルかそれ以上はかかる。そんなところで、私は、月500ドルの部屋をサブリースすることに成功した。

アメリカでは、物価の高い街に住んでいたり、収入の少ない学生の場合、賃貸アパートや家を数人でシェアするのが一般的だ。私が探した部屋もシェアするタイプで、アパートの契約者家族と、私を含めた各部屋（3室）の契約者が、台所、トイレ、シャワールームを共同で使った。

ボストンには古い建物が多く、アパートの全部屋に冷気を行き渡らせるセントラルコントロールのクーラーの配管がないこともある。ただし、夏でもそれほど暑くならないのでクーラーをつけていないアパートも多く存在するそうだ。そんな説明を受けながら、それでもちょっと暑いなと感じながらリビングを通りすぎ、いざ自分の部屋に入るとクラクラするほどに暑かった。
もはやサウナ！　しかもこれ、部屋というより窓付きの納戸という表現のほうが正しいのではないか。
なんだなんだと暑さの原因を探していたら、壁がじわーーーっと温かいことに気づいた。裏を見るとそこはキッチンで、ルームメイトが煮込み料理を作っている。月500ドルには十分な理由があった。

この年は特に猛暑だったため、気休めに置かれた扇風機は気休めにもならず、寝ている間に熱中症になりそうだった。水を入れたペットボトルを凍らせて枕元に置く作戦はいいアイデアに思えたが、4名が1つの冷凍庫をシェアするので氷ペットボトルを入れる隙間などほとんどない。冷凍庫はいつもパンパンで、開けたら丸ごとの鶏肉がごろりと足元に落ちてきてびっくりしたが、「あ、これを使ってしまえ」と氷ペットボトルの代わりにさせてもらった。

そんな灼熱の一夜には、銃声のごとく爆竹が鳴り響き、その日がアメリカ独立記念日であることに気づいた。さすが、独立運動が盛んだったボストンだけあって、お祝いが激しい。アメリカに長く滞在すれば、誰でも自然と気持ちが昂(たかぶ)るフォース・オブ・ジュライ。アリゾナで初めて見た独立記念日のお祝い花火、ダラスでは恒例となっていた友達とのBBQ（ワイワイだらだらと楽しかった）……、頭の近くに置かれた冷凍鶏肉を見ながら、いろいろなことを思い出した。全く今年は、なんというフォース・オブ・ジュライだ。

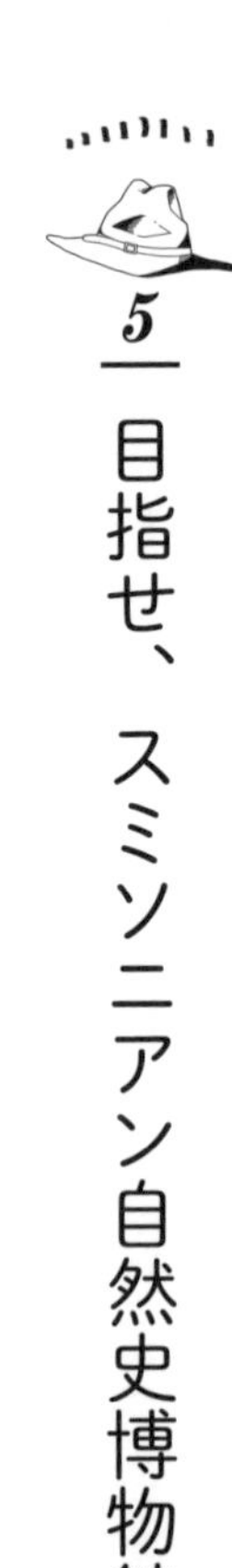

5 目指せ、スミソニアン自然史博物館！

夏いっぱいハーバード大学で過ごし、秋が訪れる少し前にはユタ大学に移った。ここでもなるべく安い家賃の部屋を探し、大きな一軒家の1部屋を見つけた。共同ではない専用のシャワーとトイレがついている。しかし構造上、この家の「勝手口」がこの部屋にとっての「玄関」となっていたため、玄関を開けるとそこにシャワーとトイレがあるという奇妙なお部屋ではあったのだが、面白い生活が待っていそうだったので即決で借りることにした。

さて、意気揚々とユタでの生活が始まったが、実は研究についてここで書けることはほとんどない。私が到着したその週に、安定同位体比を測定する質量分析装置が壊れてしまったのだ。到着して早々修理の手伝いばかりすることになった。しかしビッグ・ドッグ（Big Dog）という愛称で呼ばれていたこの装置は完全に「死んでしまった」。都内の一等地に大きめの家を建てることができるくらいの値段がするビッグ・ドッグの代わりを購入するのは簡単なことではなく、その年に分析することは事実上諦め

ユタ大学のサーリング博士のラボ。手作り感いっぱいのラボから最新研究がどんどん生み出されてきた。左が筆者、右がサーリング博士。（2020年撮影）

なくてはいけなくなった。

「そんなこともあるさ」と構えていられるくらいの余裕があればいいのだが、雇用期限があるポスドク研究者にそんな悠長（ゆうちょう）なことを言っている時間はない。それよりも気になるのはやっぱりビザのことで、今の仕事がダメになると実績にならず、実績がなければ次のポスドクにつながらず、次のポスドクがなければビザが切れて、ビザが切れれば自分の意志とはかかわらず日本に帰らなくちゃいけなくなる。自分の意思ではないのに住む国が変わってしまうというのは、イメージができず、内心とても焦っていた。

次の「職探し」については、ポスドクのテーマを研究するなかでも常にずっと頭にあり、バスに乗っていても、スーパーに行っても、考えない瞬間はなかった。大学職や博物館職でこれまで合計12の研究機関に応募し、それに加えてポスドクの申請書も書いた。とにかく、古生物学をつないでいきたくて、必死だった。心の中では「どんな仕事でも欲しい」という気持ちと、「理想の仕事をやりたい」という気持ちが天秤の上で揺れていた。そんななかでひとつ、トライしなくちゃ絶対に後悔するというポスドクがあった。

スミソニアン自然史博物館のポスドクプログラム、ピーター・バック・フェロー(Peter Buck postdoctoral fellowship)。

博士号を持っていれば世界中の誰でも応募でき、競争率は高い。合格すれば、スミソニアン自然史博物館のトップ研究者の元で研究しながら、博物館の教育プログラムにも運営側として立ち会える。そういう影響力のある人たちに囲まれながら研究や勉強ができるなんて、人生に一度あるかどうかの機会だ。応募することに迷いはなかった。

材料は、引き続きパキスタンのネズミ化石と、そこに別の分類群を足し、生物間の競争と形態進化の関係性に焦点を当てる研究として組んで、興味を持っているテーマを掘り下げてみることにした。理論的な古生物進化学を得意とするジーン・ハント先生にコンタクトをとって、スミソニアン自然史博物館の受け入れ先になってもらった。

自分ができることは全て整えて、あとは結果発表を待つだけとなった。

ＯＰＴという制度を利用して延長していた学生ビザも、時間の問題で切れてしまうというところまで来ていた。まだ来ない合否が気になり、メールを開いたり閉じたりして毎日を過ごしていると、いくつかの合否連絡が同時に届いた。スミソニアン自然史博物館のポスドクとは別に応募していた日本の研究機関からだ。そのなかのひとつは二次審査に進んだという知らせ、もうひとつは合格の知らせだった。

それは、無職になってしまうというピンチから救ってくれる知らせでもあった。「安全」を選んで日本のポスドクの席をいただくほうが、研究者としては正しい道のように思えた。お返事までの猶予期間は１週間。

「正しい道を行くか？」
「まだ道もない道を選ぶか？」

ご飯を食べながら、シャワーを浴びながら、正しい道を行った先を想像したり、道のない先を冒険する自分を想像したり。

じっくり考えて出した答えを胸に、ボスとなる先生にメールを書いた。いや、「ボスとなるはずだった」というほうが正確で、先生には、選んでくださった感謝をお伝えした。考える時間を与えてくれたことにも大きな感謝である。

正しい道には行かなかった。アメリカの滞在許可であるビザの期限が刻一刻と迫るなかで、高い競争率の合否結果を待つのは、どう考えてもクレイジーだ。でも、日本で生まれて、古生物学者になりたいと思って、科博で古生物がもっと好きになって、スミソニアン自然史博物館に憧れを抱くようになった自分にとっては、このポスドク職は、たどり着ける最高の場所なのだ。アメリカ国籍や永住権を持たない自分が、「お客さん研究者」としてではなく「研究スタッフ」として働ける唯一の方法。これまでのアメリカ留学期間の全てを賭けるだけの価値があると思った。

こんなすごい賭けができるなら、負けたとしても、選んでよかったと思える。もう一方の二次審査に進んだ知らせにも、辞退を申し入れた。日本にいる母に確認の電話があり、改めて「辞退する」と口頭で伝えた時には、「退路を断つ」というよりも、「結ぶ」という気持ちが強くなった。憧れの気持ちを一旦結ぶような、そんな気持ちだった。

しばらくして、スミソニアン自然史博物館から運命のメールが届いた。覚悟はしていたが、息は自然と浅くなり、自分の心臓の音が大きく聞こえた。急いで大学に行ってラボ仲間がいるところで少し安心し、震える手でメールを開いた。

さっと「お祈りワード」を拾い読もうとしたのだが、お祈りワードが見つからない。その代わりに、何かの手続きのようなことが書いてある気がしたが、ちゃんと読もうとしても、目が文章を飛ばしてしまって、頭の中で意味が通じなかった。

しばらく黙っていると、声の大きなラボ仲間が近づいてきて、一段と大きな声で叫んだ。

「ユー・ガット・ザ・ジョブ!!」

耳の中で響いた。

うそでしょう。うそでしょう。うそでしょう。スミソニアンに行けるんだ。

6　スミソニアン自然史博物館での短期決戦

スミソニアン自然史博物館の職員証であるバッジを手にすると、ここでポスドクをするという実感がだんだんと湧いてきた。アメリカだけでなく、世界中から若手研究者がやってきている。彼らの研究成果を聞いていると、自分ではとても思いつかないような手法や複雑な解析を行なったりしていて、ここにいるのが申し訳ないような気持ちにもなってしまったが、みんな温かく迎えてくれた。

古生物学の研究チームに所属していたが、現生の哺乳類の収蔵庫ばかりに行って標本を観察していたので、動物学の研究チームともだんだんと話す機会が増えていった。

なかでも、デ・クェドス（Kevin de Queiroz）博士と話をするのが楽しかった。爬虫類の進化生物学の専門家であるのだが、生物の「種」はどのように識別されるべき集団なのかという概念的な研究で非常に著名な研究者である。

現在までに記録されている生物種は１７０万種以上で、未知の種を含めると推定で２００万種〜１０００万種ほどの生物が地球上に暮らしているといわれる。このように、どのくらいの種が地球上にいるかということを語れるということは、「種」というものの定義はハッキリしたものであると思われるかもしれない。しかし、実際には研究が進めば進むほど種と種を線引きするのは難しいということがわかってきて、いろんな種の概念（定義）が生まれ、生物学の界隈が混乱していた時期があった。

最も知られている種の概念といえば、「ある生物の集団が自然条件下で交配し、生殖機能を有する子孫を残すことができれば、その集団は同一種」であるという生物学的種概念であるが、そのほかにも、生態的な特性であったり、遺伝的もしくは表形型の違いであったり、系統的なまとまりに特化したような概念が提唱されてきた。

デ・クェドス博士は、これらの概念は全く別々のものではなく切り離せない関係であるということに重点を置き、すべての種の概念をひとつにまとめたのだ。それによると、様々な種の概念に共通する「互いに独立して進化している集団」という部分だけが「主定義」として残り、これまで提唱された概念は種が持ちうる性質のひとつということになった（これを、unified species conceptという）。

少し太めのアルファベットのYの字を想像するといい。1つの集団がアルファベットのYの字を下から上がるように進化し、分岐点で2つの集団に分かれる。細いYの字なら、その分岐部分は「点」であるが、太いYの字なら、分岐部分は「点」ではなくて「面」になる。これまでの種の定義はみな細いYの字しか考えてこなかった。いろんな形のYの字が提唱されたと思ってもらえたらいいと思う。新しい種の概念では、これまでに提唱されたいろんな形のYが重なり、そのすべてを囲むような太いYの字になったのだ。この「面」の間に、別種となる2つの集団は、種としての性質をそれぞれ獲得していくのだ。

ちょっと難しい話になったが、要は、この種の概念の登場によって、遺伝子をベースに種を分類する動物学者も、骨の形態を研究する古生物学者も、線引きする位置が多少異なるにせよ、扱っている生物の集団としては大きな差があるわけではないことが明確になった。

デ・クエドス博士の概念的な論文はすごく面白かったし、何よりも楽しそうに話す姿が印象的で、デ・クエドス博士のような研究をやってみたいと思った。

そこで、もともとスミソニアン自然史博物館でやろうと思っていたことではなかったが、この新しい種の概念に着目してパキスタンのネズミ化石のデータをまとめ、古生物データにみられるYの字として専門誌に公表した。

そして、もうひとつ宿題が残っていた。ハーバード大学にいた時から調べている、例の進化のモノサシの答え探しである。

この頃、国立科学博物館で新しく研究者を募集するという情報が出て、応募することにした。冨田先生の引退の時期がすっかり近づいていたのだ。もし受かったらということを考えると、ここでの時間は思っていたよりもずっと短くなるかもしれない。中途半端に終わってしまうのもダメだなと思い、短期決戦となるならば、何を優先させるべきか、しっかり考えないといけないと思った。

やっぱり標本観察だ。スミソニアン自然史博物館には、歴代の関係者が世界中から集めてきた標本が収蔵されていて、その数は現生の哺乳類だけでも60万点以上ある。標本ラベルを眺めているだけでも、半世紀以上も前の人がどんな気持ちでフィールドに入り、この標本を採取したのだろうと、感慨に耽ってしまう。

スミソニアン自然史博物館の収蔵庫は、研究者にとって、まさに夢のような部屋なのだ。ここで、観察しては記録し、写真を撮るということを繰り返した。

ここに保管されているArvicanthini族のネズミをたくさん観察すると、やっぱり、メタコーンが真っ直ぐに立っていた。ただ、この特徴自体はほかの系統のネズミ種にも現れることもわかってきた。日本の固有種であるリュウキュウトゲネズミ（*Tokudaia*）も、カヤネズミ（*Micromys*）も、メタコーンは立っている。メタコーンが斜めに倒れているか立っているかというだけでは、判断する材料としては足りないらしい。ならばと、そこにメタコーンの大きさ、さらにメタコーンの反対側に位置するt7という小咬頭が存在するかどうかという特徴も加えて改めて検証することにした。この場合、パキスタン化石のカルニマタ系統では、「メタコーンは小さく、真っ直ぐに立っていて、t7は存在しない」という特徴が系統内で固定していく。トゲネズミはメタコーンが小さくないし、カヤネズミは大きなｔ７を持つ。こうやって見直していくと、やはりArvicanthini族だけがカルニマタ系統と同じ特徴を持っていた。

便宜的に「カルニマタ系統」と呼んできたパキスタンの化石の系統は、やはりArvicanthini族を子孫に持つグループだった。パキスタンの化石のなかには、ラットに直接つながるグループはいないことが決定的になった。あのＹ字の分岐は、現在では主にアフリカの乾燥地域にしか生息していないサバンナネズミ（*Arvicanthis*）のグループとマウスの分岐であった。これでパキスタンの化石を元に新しい分岐点を定義することができる。それによると、少なくとも１２００万年前には、サバンナネズミとマウスは進化の分かれ道をたどったということになる。

ところで、「Arvicanthini族」とはなんとも聞き慣れないグループであるのだが、日本の動物園でも、このグループに属する「シマクサマウス（*Lemniscomys barbarus*）」を見ることができる。体毛はイノシシの子供のように縞模様になっていて、めちゃくちゃかわいいので、ぜひ機会があったら見てみてほしい。

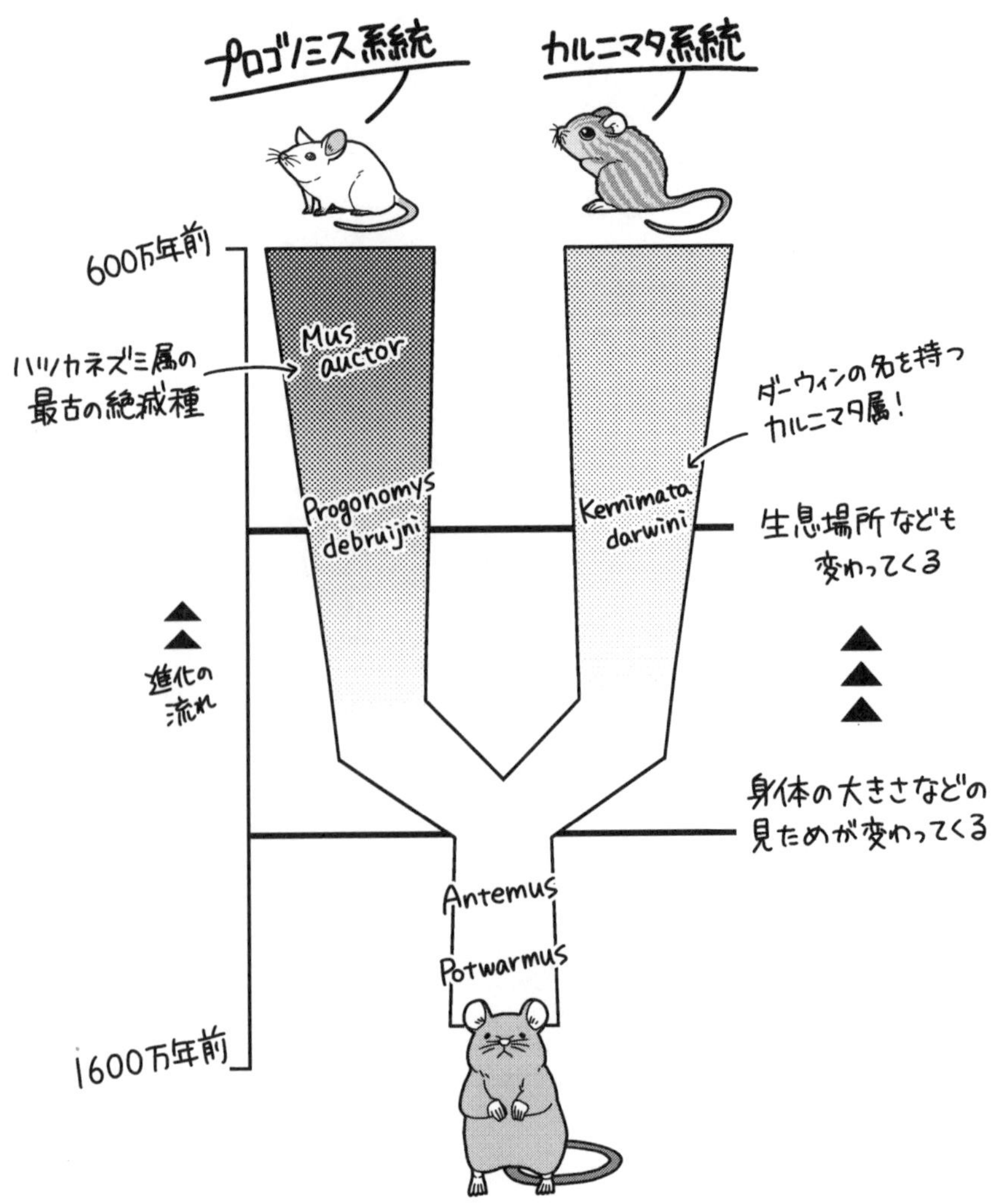
プロゴノミス系統
カルニマタ系統
600万年前
ハツカネズミ属の
最古の絶滅種
Mus
auctor
ダーウィンの名を持つ
カルニマタ属！
Progonomys
debruijni
Kernimata
darwini
生息場所なども
変わってくる
進化の
流れ
身体の大きさなどの
見ためが変わってくる
Antemus
Potwarmus
1600万年前

あとは、この新しい分岐点が本当に正しいか、テストを行なわなければいけない。とは言っても、「真の答え」がわかっているわけではないので、既存の研究で知られている分子系統樹に新しい分岐点を入れて、推定される各枝の分岐点が化石記録と整合的であるかをチェックするのだ。

ちょうど、分子系統学を専門とするポスドクの友人ができ、共同研究の約束をした。数年前に発表された分子系統樹のスクリプトの一部を変更して再解析をするという作業は友人2名の担当となった。あとは、新説を確信に変えるんだ。

7 国立科学博物館、こんにちは！

スミソニアン自然史博物館があるワシントンD.C.での最後の日。

数日前から玄関の扉を開けるのも苦労するほどの大雪が降っていて、見送りにきてくれた大切な人と大きな雪だるまを作った。

お気に入りの電動バイクも売って、ひとつひとつアパートから物がなくなると、いよいよその時だなと実感した。ポトマック川のほとりにはたくさんの桜の木が植えられているのだが、枝先の蕾（つぼみ）は固く、開くのはまだ先のようだった。日本に戻ってみると、桜はすでに葉桜へと変わりつつあった。

思えば、つい2週間前、日本に帰るというのは「かもしれない」という確証のない話だった。国立科学博物館の研究員としての採用が内定したと電話で聞き、そのままあたりを見まわしながら、これから始まる「異国」での生活に、期待と不安が入り混じった。日本のことを「異国」と感じることも、新しい生活に期待よりも

ダラスで開催された第75回古脊椎動物学会年会のパーティー。左から、研究人生の目標となっているジェイコブス研の先輩ヨシ・コバヤシ（小林先生）、冨田先生、筆者。

不安が上まわったのも、当時のそのままの気持ちだ。でも、素直にうれしかった。公募戦線に立って13機関目で、自分を研究職で採用したいと思ってくれる研究機関が現れたのだから。

科博に、「小さな化石どうぶつ」を出発点とする、小さな旗を立ててみることにした。少しずつ守備範囲を広げられたらいい。

人生における「恐竜とネズミの分かれ道」、その大きなYの字で、いろんなことを経験させてもらった。

一人でなんかとても無理で、いつもそばで底抜けに明るい声を聞かせてくれた応援団長の母

スペイン・バルセロナの郊外にある化石発掘地。国立科学博物館で仕事をスタートしてから初めての国際共同プロジェクトで。

と、Yの字の分岐「面」で影響を与えてくれた冨田先生とジュラシックパーク世代の友人、そしてネズミの道で出会ったジェイコブス先生とアメリカの仲間たちが背中を押してくれたから、なんとかここまでやってこれた。

感謝でいっぱいのこの道の先には、どんな生活が待っているのだろう。まずは宿題となってしまった「進化のモノサシ」論文を完成させるところからだ。

最寄りのバス停を降りれば、新しい研究室へと向かう一本道。そこには池があって桜の木が植えられている。つくばの風を受け、無数の桜の花びらがコロコロと足元を流れる様子は、これから科博で始まるドタバタな日常を象徴しているかのようだった。

さあ、科博の筑波研究施設。

こんにちは！

「進化のモノサシ」論文を完成させるところから
2015年に国際誌「Scientific Reports」で発表。

「あの頃の未来にいて」

ジュラシックパーク世代
スペシャル対談 ❶

林 昭次

Shoji Hayashi

岡山理科大学生物地球学部講師。博士（理学）。2009年、北海道大学大学院理学院自然史科学専攻博士課程修了。北海道大学専門研究員ならびに札幌医科大学非常勤職員、ドイツ・ボン大学博士研究員、大阪市立自然史博物館学芸員を経て、2017年より現職。

とにかく面白いことにチャレンジしたい。「恐竜」はそのためのひとつのツール。

ガムシャラな日々

林昭次（以下、林） 改めてインタビューされると恥ずかしいね。

木村由莉（以下、木村） こんなふうに改まって話す機会もないもんね。初めて会ったのって科博の講座だっけ？

林 いや、神奈川県博（神奈川県立生命の星・地球博物館）じゃない？

木村 そっか。大学2年の時？

林 由莉ちゃんが2年で、俺が3年かな。昔、科博にいらっしゃった小原巌（おばらいわお）先生が退館後に学芸員実習の担当で日大に来てたんだよね。それで、神奈川県博の樽（創）先生が勉強会をやってるからって紹介してもらって。そこで由莉ちゃんとか、（中島）保寿とか、みんながいて。

木村　私がこの本を書くにあたって自分史を振り返った時に、いちばん転機になったのがその「ジュラシックパーク世代」との出会いだったなって思って。科博の講座しかり、神奈川県博の勉強会しかり、関東圏で恐竜が好きな人たちが自然と集まって、情報交換をしたり、夢を語ったり……。今、「あの頃の未来」にいると思うんだよね、ある程度。今の昭次が、あの頃を振り返って、どんなふうに思っているのかなって。それを聞きたくて岡山まで来たの。

林　あの頃は結構必死だったかな。ある時バイト先の先輩に、「この先、何するの？」って聞かれたんだよね。日大では古生物は学べても恐竜とか古脊椎動物は学べなかったから、大学に行く気もだんだんと失せてきてた頃で。で、そう答えたら、「恐竜が好きなことも初めて聞いたし、子供の頃に好きだったからってなんとなく言ってるだけでしょ？」みたいなことを言われて。確かに、俺はみんなと違ってマニアとかでもなかったし。みんなすごいマニアだったじゃない？　恐竜図鑑に載ってる恐竜を全部覚えてたり。最初に会った時、正直コイツら気持ち悪いって思ったもん（笑）。

木村　18〜20歳くらいって、他はそんなに差がなくても、ひとつの分野だけを見ると「好き」の度合いに差があったり、知識にも差があったりする時だからね。だんだん均(なら)されていくんだろうけど。

林　自分にはそこまでの気持ちがない、というか、向き合ってこなかったことに気づいて。それで、何かを変えないといけないと思って、とりあえずアメリカに行った。初海外で、初一人旅。別に明確な目的があったわけでもないんだけど。ロスと、ソルトレイクと、シカゴと、サンディエゴ……1か月くらいかな。

木村　結構行ったね。博物館とかを回ったの？

林　そう。博物館で恐竜を見て、何か感じるものがあるかなって。そしたら、小学生か中学生くらいの子供が化石のクリーニングをしてんの。

木村　展示の一角にクリーニングブースがあるもんね。

林　こんな子供でもやっているのに、俺はなんでできないんだ！って。後で考えたらそれはただの「体験」だったんだろうけど（笑）、その時はそんなことも知らないから。それで、写真とかもいっぱい撮ったりして、やっぱり恐竜がすごい好きだなってことを確認して帰ってきた。

木村　そこから必死になったんだ？

林　そうそう。

木村　まわりは東大生ばかりだったじゃない？　私は数少ない非東大組で、優秀な東大生たちをすごい意識してきたわけ。基礎学力もそうだし、全然敵わないと思った。昭次はどうだった？

林　うーん、どうかな。確かに基礎学力の差は感じてはいたけど、この分野は作業すればなんとかなるかなって、楽観的に考えてたところはあったかもしれない。

木村　大学3年の時点で基礎学力の差も感じてはいたけど、作業の多い学問でもあるからなんとかなるだろうと思ってたの？

林　もし能力が彼らの半分しかないんだったら、倍やれば大丈夫だろうって。俺は神奈川県博の樽先生のところにも行ってたし、他に林原（林原自然科学博物館※現在は閉館）で石垣（忍）先生（現・岡山理科大学）が副館長をされていて、そこにも通っていたし。とにかく動きまわっていたから、自分のほうが進んでいる部分もあるだろうとも思ってた。それに、途中から保寿と仲良くなって、二人で多摩川で調査したりもしてて。あそこ、クジラとかゾウとか、骨がすごい出てくるんだけど、それが面白くて。

木村　その話聞いて、びっくりしたのを覚えてる。

林　この分野はとにかく研究材料の標本を手に入れるのが難しいから、まずはそれをどうやって手に入れるかと、あとは指導してもらえるかどうか。そればかり考えてたかな。まわりがどうこうよりも、ただガムシャラだった。

木村　その点で言うと、さっき昭次は「倍やる」って言ったけど、私は東大の人たちと同じことをしていたら同じところには到達できないから、得意なところを特化させてやろうと思ってて。私の場合はそれが英語だった。お互い、同じことを感じてたけど、全く別のアプローチで頑張ってきたんだね。

職業としての「研究者」、研究としての「恐竜」

木村　学部の時に研究しながら、その先に研究者っていう職業は見据えてた?

林　全然。

木村　え?　じゃあ、恐竜をやりたいという気持ちだけで大学院に進んだの?

林　とりあえず、恐竜をやりたかった。恐竜をやるためには大学院に行かなくちゃいけなかったから。ドクターに行ったのもそう。修士でステゴサウルスの成長を調べたんだけど、ステゴサウルスって日本に2体しかなかったし、当時はオープンになってる標本は基本的に1体しかなくて。でも先行論文と比べて自分の見てる個体に変異があったとしても、それが成長によるものなのか、たまたま病気の個体なのか、判断できないし、そもそも成長を調べるには子供から大人まで複数の個体を比べないといけない。もっと知りたいと思うようになって、ドクターに進んだ感じかな。で、ドクターの最後のほうで、就職するところがないって気づいて（笑）。

木村　そうなの!?　なんか、意外……!

林　大学の先生にも「博士号を取得しても仕事はないよ」とか言われたけど、そんなふうに言う時って大抵笑ってるから。そうは言ってもあるだろうって思ってたら、本当になかった（笑）。

木村　研究者になることを意識したのは博論が終わるくらい？

林　その少し前かな。もともと子供の頃の夢が「世界を股にかけて恐竜研究をす

ること」だったんだけど、それがドクターの時にできて、すごい楽しくて。それで、卒業が見えてきて将来を考えないといけない時に、これで飯を食っていかなきゃって。

木村　じゃあ、割と現実的というか、生活基盤として意識したって感じなんだ？

林　そうだね。最近思うのは、自分はこの仕事以外は向かないかなって。この仕事が向いているかどうかはわからないけど、少なくとも自分のなかでは割とベストな職業なのかなと思ってる。だけど、まだ何もしてない。自分的にはもっと面白いことをどんどん発見したいと思っているから、あくまでもまだプロセスかな。

木村　研究してて、昭次が面白いって思うのはどういう時？

林　やっぱり新しい発見をした時。誰も知らないものを見つけた時。あとは、こういう特化した仕事をしていると、違う分野の特化した人たちとつながれる。水族館や動物園もそうだし、ほかにもミュージシャンとか、アニメーターとか、メディア関係とか。そこで友達もいっぱいできたし。

木村　確かにね。「恐竜」っていうキーワードでいろんな分野の人と仕事ができるのは楽しいいし、それもこの仕事の役得かもしれない。

林　博物館、美術館、水族館、動物園とかって、本当は全部つながってるはずだけど、結局どれかに偏（かたよ）ってる印象がすごくあるので、全部つながっててもいいんじゃないかって思うんだよね。だから最近は、動物園や水族館で化石を使った展示をしたり、現生の動物から進化の謎に迫るようなことをしてて。でもこういう思考って、やっぱり真鍋（真）先生や小林（快次）先生の影響もあるのかなって思う。真鍋先生も、科博で絵本の企画展（「絵本でめぐる生命の旅」２０１９年12月〜２０２０年2月）をされていたけど、それだってまさに芸術と科学の融合だと思うし。

木村　確かにそうだね。

林　面白いことにチャレンジしたいっていうのが常にある感じ。だから恐竜の研究もそのひとつだったのかもしれない。面白いことをするためのひとつのツール。俺は人生を楽しみたいから、そのために恐竜で何かできればいいかなって。

木村　いいね、「人生を楽しむ」って。研究をやってきた人って「犠牲にして」やってきた思いが強い人が多いと思う。特に二十代とか、まわりがキラキラし始める時代にめちゃくちゃ勉強しなくちゃいけなくて。そういえば何年か前にNHK Eテレの『サイエンスZERO』に出てたけど、それもそんなつながりからなの?

林　いや、あれには別の面白い話があって。北大時代、忘れもしないクリスマス・イブの夜に、後輩と二人で研究室で研究してたんだよ。そしたら柄にもなく真面目な話になって。そいつはすごい優秀なやつだったんだけど、研究者になるのは無理かなって思ってたらしくて、ただ、「研究者の話は難しくて一般の人に伝わりづらいところがあるから、研究の面白さを伝える架け橋のような仕事がしたい」って夢を打ち明けてくれたんだよね。じゃあもしお互い夢が叶ったら、初めて作る恐竜番組に俺を呼んでくれって、そんな話をしてて。男二人で、クリスマス・ソングを聴きながら（笑）。そしたら、本当に作ってくれた。

木村　え？　それが『サイエンスZERO』なの？

林　そう。ゲストで呼んでもらったあの放送回が、そいつがNHKに就職して初めて手掛けた恐竜番組。結構時間かかったけどね。

木村　すごい！　胸熱な話だね。

偉大なるマイケル・ジャクソン

木村　昭次は出世魚っていうか、順調にきた感じがある。ゆっくり着実に実力をつけていった人ってイメージ。

林　もともとは受験を失敗したところからスタートしてるから。そこから、真鍋先生のところに出入りしてた東大の人たちと肩並べて、その後は北大に行って。

実際順調だったかはわからないけど、順調に見えてたかもね。

木村　当時、挫折とか悩みとかはなかったの？

林　あったよ。特に英語の壁はあったかな。真鍋先生に進路のことを相談してて、ドクターで北大に行きたいってことで小林先生を紹介してもらったんだけど、当然、「うち来て何するの？」って話になるじゃない？　それで、ステゴサウルスを使ってヒストロジーをやりたいって説明するけど、北大には材料がない。だから、その研究で来たいなら材料を手に入れろって言われたの。特にヒストロジーは骨を切る研究だから、骨を壊すってだけでもハードルが高い。で、どうしよう、他の研究をしようか、でもずっとヒストロジーをやってきたのに今から路線変更は難しいってずっと悩んでて。そしたら真鍋先生が、ステゴサウルス研究の権威であるデンバー自然科学博物館のケン・カーペンター先生に連絡してみたら？ってアドバイスしてくれたんだよね。でも、英語が苦手だから外国の偉い先生にどうやってコンタクトをとっていいかわからなくて。

木村　うん。でもちゃんと行ったよね？

林　行った！　ちょうどその頃、よくフェスとかに一緒に行ってた友達が外国の子たちをナンパして、一時期グループで遊んでたの。英語は全然通じないんだけど、絵を描いたり、身振り手振りとかで案外コミュニケーションが取れちゃう。あれ？このノリでイケるんじゃない？って思って、勢いでカーペンター先生に

連絡したんだよ。しかも、俺お金ないから先生のところに1か月泊めてほしいって、結構無茶苦茶なことを言って（笑）。

木村　マジ？

林　マジマジ。でも、受け入れてくれたはいいけど最初はクズみたいな骨しか渡されないわけ。それでも1か月一緒に暮らしてるとだんだん仲良くなってきて。それで、ご飯を一緒に食べに行った時に、自分はあなたのような研究者になりたい、そのためにはどうしても小林先生の研究室に行く必要があって、そのためにはあなたのところの材料が必要だ、って。

木村　それ、英語で言ったの？

林　いや、頑張ったけどあまりうまく伝わらなくて、結局何て言ったかというと、「ユー・アー・マイ・スター！　ユー・アー・マイ・マイケル・ジャクソン!!」って（笑）。そしたらケンが爆笑して、お前の熱意はわかったって言って小林先生に手紙を書いてくれた。「ショウジは決して優秀じゃないけど、ガムシャラだか

らサポートしてやりたい。必要な標本を提供するから面倒見てやってくれ」って。だから、こう話すと結構チャラいんだけど（笑）、必死にやってつながってきた感じ。

木村　うん、まさかナンパきっかけでステゴサウルスにつながっていくとはね（笑）。でも、そのチャラさがなくてつまずく学生っていっぱいいると思うんだよ。真面目すぎて一歩が踏み出せなくなっちゃう。時にはノリとか、勢いとか、熱意で押し切る、みたいなことも大切ってことだよね。

林　当時の俺の浅はかな考えでは、頭がいいとか悪いとかじゃなくて、とにかく動いてたらいけるだろうって感じだったから。

木村　私も、手を止めなければいけるかもっていうのはあったかな。

林　小林先生がよく言ってたのが、研究者になるのは二通りの人間だと。ひとつは、すごい優秀なやつ。俺は誰よりも頭が良い、俺がなれなかったら誰がなれるんだっていうタイプ。もうひとつが、何も考えてないバカ。で、どっちにも共通するのは、止まらずに動いていること。

木村　うん、本当そうかも。

国産古生物学者第1号世代

木村　昭次は最終的に北大に行って、小林先生を博士のアドバイザーに持ったけど、その小林先生をいつか超えるぞ、みたいな気持ちはある？

林　小林先生だけじゃなくて、みんなを意識してるかな。そもそも日本で、恐竜とか古脊椎動物の研究者が少なかった時代に、真鍋先生や小林先生は海外から輸入してきた初めての人で、俺らは国産古生物学者の第1号世代じゃない？　だから、俺のヒストロジーも、藤原（慎一）さんのシミュレーションもそうだけど、日本で、というかアジアで初めて。やっぱり埋れたくないよね。人と違うことをやりたいって感じかな。自分の個性をどんどん出していきたい。

木村　研究をやる以上、新しい発見を自分で見つけたいっていうのがあるからね。

誰かがやっているなら別のアプローチでっていうのは、確かにそう。

林　新しくてインパクトのある発見をしようと思ったら、みんなと同じ方向を向いてると結構厳しいのかなって思う。

木村　小林先生が当時、今の私たちよりもちょっと若いくらいだったっけ？

林　そうだね。三十代後半とかだったかな？

木村　あの時の小林先生の年齢を超えちゃったのか。楽しみだね、次の10年。ジュラシックパーク世代がどうなってるか……。

林　ちなみに、俺は『ジュラシック・パーク』からはそんなに影響は受けてないけど。

木村　ないの⁉

林　もちろん、衝撃は受けたよ。でもそれがきっかけではないかな。

木村　私は、『ジュラシック・パーク』の、トリケラトプスのウンチに女性の研究者が手を突っ込むシーンが衝撃で。その前に恐竜の展覧会に行ったりしてたから、映画を観てこれって仕事になるんだって思ったのがきっかけだった。

林　俺はゴジラ。3歳の時に『ゴジラ』が上映されてて、映画を観た後に大阪の自然史博物館に行ったんだよね。3歳の子供にとっては恐竜も怪獣も一緒で、ゴジラは空想のものだけど、恐竜は実際にいたものだから、この実在したゴジラみたいな生き物がどんなふうに暮らしてたんだろうって。それが知りたいと思って。

木村　全然知らなかった……。自分のなかでは、この世代はみんな『ジュラシック・パーク』がきっかけになったんだと思ってたよ。（平沢）達矢とか。

林　平沢くんはそうかもね。

木村　今度、聞いてみる。

（2020年3月初旬収録）

平沢達矢

小学6年生の僕から託された、「PALAEONTOLOGY LAB」の夢とともに。

Tatsuya Hirasawa

東京大学大学院理学系研究科准教授。博士（理学）。2010年、東京大学大学院理学系研究科地球惑星科学専攻博士課程修了。理化学研究所基礎科学特別研究員等を経て、2020年4月より現職。専門は古生物学、進化発生学。

ジーンズの古生物学者に憧れて

木村由莉（以下、木村） 研究室はもう片付いた？

平沢達矢（以下、平沢） いや、コロナの影響でまだあまり来れてなくて。いろいろと、これから。

木村 そっか。この4月から東大の准教授に着任されるって聞いて、せっかくの機会だから達矢の新しい城で話ができればと思ってたんだけど……。結局リモート対談という形になってしまって。

平沢 そうだね。まあ、落ち着いたら遊びに来てよ。

木村 ぜひぜひ！ 3月に、先に昭次と対談してきたんだけど。あの頃、まだ古生物学者になるための明確な道筋がなかった時代に、研究者になるためにみんな一生懸命だったじゃない？ その「ジュラシックパーク世代」の仲間たちが、今、こうして研究室を構えたり、学生を指導する立場になったりしていて。改めて、あの頃のことや、今のことについて話したいなって思って。特に達矢や昭次とは歳も同じくらいで、ずっと意識し合ってきたから。

平沢　学位取ったのも同じくらいだっけ？

木村　それは、私のほうがあと。達矢が先に学位を取って、理研（理化学研究所）にポスドクで行くって知って、「さすがだね」って思ってたから。

平沢　そうだったっけ？

木村　大学生の時、すごい覚えてるのが、私がまだ恐竜や古生物に対して子供っぽいクエスションのなかにいた頃、達矢は具体的に「呼吸を復元したい」って言ってたの。覚えてる？

平沢　うん、3年の頃かな。

木村　それがすごい衝撃で。そんな化石に残りそうにないものをどうやって研究するんだろうって。その時、この人の修論や博論を絶対に読みたいって思ったの。同世代なのに、達矢はすでにはるか彼方にいて、常に背中を追ってた感じ。

平沢　それは過去を美化しすぎじゃない（笑）？

木村　いや、本当にすごかったから！　あと、最初に会った時にこの人めちゃくちゃジーンズが好きなんだろうなって思ったのを覚えてる（笑）。

平沢　え？　何それ（笑）。

木村　洗濯したら縮みそうなジーンズを履いてて。私が履いてるようなゴム入りのチープなジーンズじゃなくて。

平沢　うん、まあ確かにジーンズは好きだよ。ヴィンテージジーンズが好きで。なかでも第二次世界大戦中のものとかは、結構個体差があって面白い。

木村　ジーンズの個体差⁉

平沢　俗に「大戦モデル」って言うんだけど、1942年からの3年間くらいしか作られていないジーンズで、この時代は物資不足で部材がそれぞれ違っていたり、工場内でもベテランの縫子さんたちは軍服とかを作ってたから、あまり手慣れてない人が作ってて、個体差が激しいんだよ。縫い方だったり、あとは刻印とかでも年代がわかったり。

木村　聞いてると、なんだか種の同定みたいだね（笑）。

平沢　まさにそうで、例えば恐竜でもティラノサウルスくらい有名な恐竜だと、骨格の話をする時に標本番号で言ったりするじゃない？　あの個体はここにこんな特徴があるとか、この個体はここが残ってるとか。ヴィンテージジーンズもそんな感じで、個体で語れる。

木村　ジーンズの話にティラノサウルスが出てくるとは思わなかったよ。

平沢　あと、ジーンズは自由さの象徴っていうか。そういう意味では、自分にとって古生物学者って、ジーンズで仕事ができるっていうのもひとつの憧れで。別にスーツを着たければ着てもいいし、でもジーンズでもいい。論文を書いたり、学生の指導をしたり、仕事はちゃんとするけど、自分の裁量で決めてできるっていう、そういうスタイルをすごく象徴しているなって思ってて。

木村　なるほどね。確かに、SVP（古脊椎動物学会）に行った時に結構衝撃じゃなかった？　学生の頃はスーツを着て行くよう言われたからそのためにセットで買ったんだけど、いざ会場に着いたら有名な論文を書いてる偉い先生たちが汚いTシャツにジーンズ姿だったりして。もう見慣れたけど。最初はびっくりしたなぁ。

研究の流行りと廃り

木村　ＳＶＰでコルバート賞を獲ったのって、２００８年？

平沢　そう。２００６年にもチャレンジしたけど、その時は2位という評価だったから。

木村　そうなんだ。じゃあ、２００６年が初ＳＶＰ？

平沢　発表を聴きに行ったのは学部3年の時が最初。まだ研究費とかなかったからバイトしてお金を貯めて。

木村　早い！　同期はまだ誰も行ってなかったでしょ？

平沢　そうだと思う。でも僕が行くって言ったら藤原（慎一）さんも行くって言って。だからその時は二人で行ったんだよね。今はどうかわからないけど、ＳＶＰは推薦者がいないと入れなかったから、まだ会ったばかりだった真鍋先生に推薦者になってもらって。

木村　その頃って、系統解析がめちゃくちゃ流行(はや)った頃じゃない？　いろんな枝を見た気がする。

平沢　うん。あと、FEA解析（Finite Element Analysis：有限要素解析）とか。

木村　そうそう。それまで古生物学では使われてこなかった別の学問のツールが取り入れられるようになった最初の時期。学部時代にそういうものを見て、のちの研究に影響を受けたりした？

平沢　それは、むしろ今のほうが感じることがあって。やっぱり、ああいう新しいものって、流行り廃りがあると思う。最初に始めた人はテーマが選べる分、面白いことができるけど、追随する人たちは重箱の隅をつつくような研究しかできないんじゃないかって思うんだよね。もちろん、専門家的には面白かったりするけど、広い視点でほかの分野にどう影響するかということまで考えると、難しい。それを、ここ最近のトレンドの移り変わりを見て痛感していて。流行りに飛びついた時にはもう遅いなって。

木村　パイオニアの人たちがいい標本をやっちゃうからね。続く人はどうしてもコアな部分ではなく、細部をやることになるから。

平沢　だから、やるのはいいけど、その専門家にはなってはいけないっていうか。それが将来トレンドになるだろうという理由で研究のメインにしてしまうと、他

にアイデアがないと苦労するかな。そこは学生に指導していきたいと思ってる。

木村　今、これ読んで背筋がピンとなった人いると思うよ。

平沢　いや、もちろん自戒を込めてね。

目指せ、新種発見

木村　達矢は学部の頃からすごく先のことを意識してる感じがあったなと思う。学校が違うから博物館の講座とかでしか会わなかったけど、まわりが学生のノリでバイトの話とか趣味の話とかをしてたのに対して、達矢とは研究の話しかした覚えがなくて。だから、ジーンズ好きもここまでとは知らなかったし（笑）。

平沢　先のことを考えてなかったといえば、嘘になるかな。まぁ、考えてたよね。エクセルに人生計画をまとめてたし。

木村　この歳までにこれを叶える、みたいなリスト？

平沢　うん。もちろんできなかったこともあるけど、でも「三十代で准教授になる」っていうのは、今回叶えた。

木村　それもちゃんと書いてたんだ？　すごいね！　理研でやってきたことは、東大でも引き続きやっていくの？

平沢　理研で長くポスドクをやってきて、そこではいろんな動物の発生や進化の謎を遺伝子レベル、細胞レベルで解くということをしてきたんだけど、まだ足りてないものがあるなって思ってるんだよね。例えば、大量絶滅っていうことについては、進化生物学のなかでは全く眼中にない。でも、系統が分かれていった先で大量絶滅が起これば、その枝は一気に刈り取られる。そこで残ったバリエーションだけが、今の時代の多様性につながってる。そこは意識しないといけない。あとは時間というものを考えた時に、脊椎動物って5億2000万年前くらいに登場して、そこから陸上に進出したのは4億年前。最初の1億2000万年だけで今生きてる脊椎動物のほとんどのパターンが

出来ちゃったことになる。一方で、その後の4億年間って、そんな劇的に変わったやつが出てきていない。もちろん鳥とか、空を飛ぶやつは出てきたけど、でも鳥と恐竜を比べた時に、そんなにめちゃくちゃ変わってる感じもしないし。

木村　確かに、海から陸への進化が一番ドラマチック。

平沢　進化のスピードにムラがある。それを考えないと、本当に進化を理解したことにはならないかなと思ってて。だから、これからも化石をベースに、発生学をやっていくと思うよ。

木村　古生物学で最も多い研究テーマとしては、新しく見つかった化石がどんな種であるかを解明する分類学があるけど、発生学の視点から見ても、過去に生きていた動物の分類っていうのはやっぱり大事？

平沢　大事だと思う。というか、僕は今まで新種発見とかはやったことがないんだけど、やりたいんだよね。

木村　初めて聞いた！　そうなんだ。

平沢　新しいの出ましたよ、みたいなの、やっぱやりたい。北大の小林さんみたいなことやりたいって思う。東大に来て、しかも地球惑星科学専攻っていう古生物メインのところでこれからやっていくので、今後、国内を中心に、フィールドワークもやっていきたいなって思ってる。

ずっと思い描いてきた未来に

木村 理研には何年いたんだっけ?

平沢 2010年からだから、ちょうど10年。

木村 ポスドク期間としては割と長いほうだよね。ずっと神戸にいて、東京に戻ってきたいって気持ちはあったの?

平沢 うーん、仕事があれば別にこだわりはなかったけど……。この間も大学はいろいろ受けたけど拾ってもらえなくて。でも、東大にはいつか戻りたいっていうのは、自分のなかにずっとあったかな。

木村 私も大学生の時に科博の冨田先生の研究室でバイトをさせてもらって、その後アメリカに行ったけど、やっぱりここに戻ってきたいっていうのはあったなぁ。収まるところに収まるというか……面白いね。それに、私たちが学生の頃にモチベーションを得た科博の講座に、今度は達矢が学生を送ってくれる立場になったって思うと、感慨深い。

平沢　確かに、そう考えるとそうだね。

木村　今は、ずっと思い描いてきた未来のなかにいる感じ？

平沢　うん。だって、これ見える？（研究室の机に置かれた「PALAEONTOLOGY LAB」と書かれたプレートを画面に映しながら）

木村　前にフェイスブックで見たよ。確か、小学生の頃に作ったやつでしょ？

平沢　小6。『ジュラシック・パーク』の公開の時に作った。

木村　あ！　やっぱり『ジュラシック・パーク』に影響を受けたよね!?

平沢　直接の影響がどれかって言われたらわかんないけど、でもジュラシックパーク世代って呼ばれることは、そうかなって思う。自分でも言ってるし。

小学6年生の時に作った、手書きの「PALAEONTOLOGY LAB」

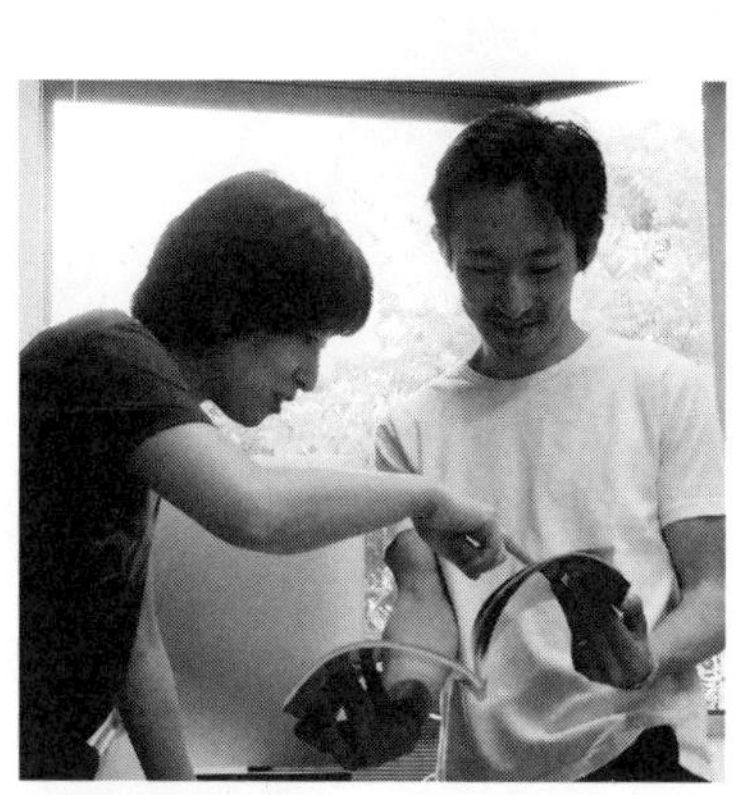

木村　よかったぁ。ジュラシックパーク世代の対談なのに、昭次からは「あんまり影響受けてないよ」みたいなことを言われちゃって（笑）。

平沢　あの映画に影響を受けたいちばんの理由は、主人公の博士が古生物学者だったから。今の小学生はいろいろ情報を得る場所があるから知ってると思うけど、当時の、あまり恐竜の情報がない時代の小学生って、恐竜を専門に研究をしてそれが仕事になるってことを、まず知らないから。プロの職業としてあるんだっていうのを、あの映画を通じて知ったからね。だから、もし主人公が古生物学者じゃなくて、例えば警察官とかで、単に恐竜が出てくる映画だったら、ここまで影響は受けなかったかなと思う。

木村　私もそう。私の場合は主人公じゃなくて、女性の古生物学者のほうに影響を受けたんだけど。

平沢　あと、『恐竜学最前線』っていう学研のムックがあって、マニアックな情報はそこから得てた。それこそSVPのこともそのムックに載ってたレポートを読んで

後日、東京大学の平沢研究室にて大戦モデルのジーンズについて語る様子。（2020年6月下旬撮影）

知ったりとか。

木村　それで、割と早い段階でＳＶＰに行ったんだ？

平沢　しかも、まだ日本の学会にも行ったことなかったくせに、先に国際学会に行ったんだよね。

木村　そうだったの？

平沢　そう。でも、その時に今でもすごく印象に残っていることがあって。ある研究者が呼吸に関する発表をしてたんだけど、その頃、自分も呼吸の研究をしたいと思ってたから、話しかけてみたんだよね。ハーバード大学の、当時はまだ博士課程の学生さんだったと思うんだけど。そしたら、すごく親切にいろいろと教えてくれて。英語もそんなにちゃんとしゃべれないような、しかもまだ研究を始めてもいないような日本の学部生に対して、こんなにちゃんと説明してくれるんだって。自分も将来こんなふうになりたいっていうのを、すごく思った。

木村 将来なりたい研究者像が、そこでひとつできちゃったんだね。でも、それこそ、留学生とか、研究者になりたい学生を海外から受け入れる機会がこれから増えるんじゃない？

平沢 もちろん来てほしいし、今度は自分がその立場として、あの時のことを忘れずに接したいなと思ってる。

木村 そうだね。私も、博物館側として、これから達矢が指導する次世代の人たちと交流できるのを楽しみにしてるよ。

平沢 その時はよろしく。

木村 こちらこそ！

（2020年6月初旬リモート収録）

謝辞

これまでに、古生物学者になりたいというレアな夢を叶えるためのたくさんの知恵いただき、応援してもらいました。

学生時代に出会い、持っている知識をとことん教えてくださった先生たち、常に刺激がいっぱいのジュラシックパーク世代、アメリカ大学院時代に出会った国際色豊かな友人、研究仲間。

帰国後に、日本での研究ネットワークがないところから研究室を立ち上げることをゼロから付き合ってくれた研究者、先生、友人。

私の人生の大事な時に、ピンチな時に、楽しい時に、ふと現れてくれたみなさんに心から感謝します。

そして、ちょっと高めのこの本を思い切って購入してくれたみなさま。

レジで支払ってくれた大切なお金は、めぐりめぐって、私の手のひらに積みかさなっていきます。手のひらにいっぱいになった時に、研究のために使おうと思っています。研究をサポートしてくれて、ありがとうございます。

数々の緩急ある名言を生み出す母とその仲間たち
●木村家

指導教官／アドバイザー
●Louis L. Jacobs
●平野弘道　●冨田幸光
●Alisa J. Winkler　●Dale A. Winkler

古生物学者としての目標／ジェイコブス研先輩
●Yoshi Kobayashi（小林快次）
●Junchang Lü　●Yuong-Nam Lee

サザンメソジスト大学の先生、同僚、友人
●Bonnie F.Jacobs　●James E.Brooks
●James E.Quick　●Anthony Fiorillo
●Michael J. Polcyn　●Lauren Michel
●Lu Zhu　●Junghyun Park　●Vicki Quick

ジェイコブス研究室の仲間
●Diana Vineyard　●Timothy Scott Myers
●Thomas Adams　●Christopher Strganac
●Yosuke Nishida

大学から大学院時代に古生物を学ぶビックチャンスをくれ、良い影響を与え続けてくれたみなさま
〈古生物研究者〉
●長谷川善和
●犬塚則久
●真鍋真
●樽創　●伊左治鎮司　●髙桒祐司
●宮田和周　●藤田将人　●廣瀬浩司
●早稲田大学 平野研究室　先輩
●早稲田大学 平野研究室　同期

〈関係者のみなさま〉

●小田隆
●伊藤恵夫（骨の伊藤さん）
●坂田智佐子
●中川久雄　●高橋和男　●馬場健司
●高橋功　●長尾衣里子
●恐竜倶楽部

〈秘めた指針となってくださった女性古生物学者〉

●江木直子　●佐藤たまき

ジュラシックパーク世代の先輩、友人

●大橋智之（北九州市立いのちのたび博物館）
●田上響（福岡大学）●久保泰（東京大学）
●久保麦野（東京大学）　●藤原慎一（名古屋大学博物館）
●松本涼子（神奈川県立生命の星・地球博物館）
●林昭次（岡山理科大学）　●村上瑞季（秀明大学）
●中島保寿（東京都市大学）　●平沢達矢（東京大学）
●田中真士（恐竜くん）
●松井麻衣（パレオサイエンス）

＊括弧内は２０２０年現在の所属先

研究の師匠、共同研究者、研究という名の冒険仲間

●Everett Lindsay (Doc)　●Zhuding Qiu
●Thure E. Cerling　●Lawrence J. Flynn
●Kay Behrensmeyer　●Xiaoming Wang
●Gene Hunt　●Isaac Casanovas-Villar
●Qiang Li　●Yingqi Zhang　●Tara Smiley
●Sílvia Pineda-Munoz　●Cheng-Hsiu Tsai
●Kumiko Matsui

アメリカ時代の恩人、友人

●Emily Lindsay　●Red Fireballs
●Dan Davis　●Lauren Debrussy

学生時代の友人たち
●あぶりやまの会　●本女G組　●地科専同期
●CESLの友達　●SMUの友達
帰国後お世話になっているみなさま
●Above all

〈博物館〉
●国立科学博物館 地学研究部
●ナウマンゾウ化石撮影隊ボランティア
●化石レプリカ製作　円尾博美、小畑朗
●化石哺乳類復元図　岡本泰子、伊藤丙雄
●北関東博物館仲間

〈研究〉
●東京工業大学　●ハムリー株式会社
●日本大学　●東京医科歯科大学歯科同窓会
●瑞浪市化石博物館

本書を生み出すために奮闘してくれたみなさま
●デザイン 井上大輔（GRiD）
●イラスト 鈴木苑子（「助手」も兼務）
●「助手」柳下美佳
●編集 藤本淳子

紙面では書ききれませんでしたが、このほかにも多くの方々にお世話になっています。小さい頃から見守ってくれたお絵かき教室の先生、ずっと交流がある幼稚園の先生と中学校の国語の先生、アメリカ生活に慣れるようにいろいろな手配をしてくれた現地在住のご家族のみなさま、会話をきっかけとしてそこから大きなチャンスにつなげてくださる研究者の方々、本当にたくさんの素敵な人たちに出会いました。これからもどうぞよろしくお願いします。

あとがき

ある日、出版社の編集者さんから、本の題材になるようなトピックを聞かれ、ロイ・チャップマン・アンドリュースの発掘探検物語としてアメリカ自然史博物館の中央アジア探検を題材にするのはどうかと薦めた。私はこの探検話が大好きで、子供の頃はまんが化石動物記シリーズ『きょうりゅうのたまごをさがせ』（たかしよいち著／理論社）を何度も読んだし、大学院生になってからは探検隊が見つけた化石の論文を読み、科博に勤め始めてからはアンドリュースの原著を読み進めている。子供から大人まで楽しめる古生物探検ストーリーならこれしかないでしょうと前のめりでプレゼンしたのだが、返ってきたのは「いや、私は先生自身のお話が聞きたいです」の一言。話の途中に織り交ぜていた自らの思い出話のほうに食いつかれてしまった。

すでに同社からは東京学芸大学の佐藤たまき先生が『フタバスズキリュウも

うひとつの物語』を出版され、大学時代に古脊椎動物を勉強することになった経緯や、その後フタバスズキリュウを共同研究し新属新種としてデビューさせることになった物語が多くの古生物ファンを魅了していることを知っていた。

だから、二の足を踏んだ。私が歩んできた道というのは、佐藤先生と同じ方向だけれども、それほどきらびやかではないというのが、自分なりの私自身への客観的な評価だったからだ。「女性研究者」・「古脊椎動物」・「海外留学」・「子供の頃は恐竜ファン」など、共通項は多くあるが、いろいろな点において「未満」なのである。「未だ至らず」であると信じて地道な研究を続けているわけなので、今というタイミングは自分にとって時期尚早に感じた。

それから1時間ほど、「いやぁ、ムリですよ」と「先生自身の話が聞きたいです」を壊れたレコードのように繰り返し、徐々に、書いてもいいかなという気持ちへと誘導されていった。

「フタバスズキリュウ」のようなパワーワードがないなかで、どのように自分史を切り取り、つなぎ合わせ、1冊の本として成り立たせるかということを考えると、妙なプレッシャーから全く書けない時期が続いた。

それでも書き溜めたものを送るたびに、一生分ほど褒めちぎっていただき、なんとか物語の終わり（＝科博時代の始まり）までたどり着くことができた。編集された原稿には、私の想いをわかりやすく伝えるための言葉が着飾らない程度に加わっていて、感動を覚えた。あんなに自信のなかった原稿なのに、読み終わる頃には、この本を多くの人に読んでもらいたいと、強く思うようになった。私の人生もなかなかドラマチックではないか。

この本は、藤本淳子さんの科博を愛する心とおだて上手な気質がなければ完成しなかったのである。藤本さんの名刺にはブックマン社の編集者であると書かれてあるが、私はただの「科博大好きっ子」と思っている。たぶん後者のほうが正しい。

木村由莉（きむら・ゆり）

1983年、長崎生まれ。神奈川育ち。国立科学博物館地学研究部研究員。早稲田大学教育学部卒業、米国サザンメソジスト大学地球科学科で博士号取得。陸棲哺乳類化石を専門とし、小さな哺乳類の進化史と古生態の研究を行う。趣味はロード・トリップで、国内の化石産地や遺跡を巡っている。監修した本に『ならべてくらべる絶滅と進化の動物史』（ブックマン社）、『しんかのお話365日（理系に育てる基礎のキソ）』（技術評論社）、『古生物食堂』（技術評論社）。

もがいて、もがいて、古生物学者!!

みんなが恐竜博士になれるわけじゃないから

2020年 8月13日　初版第一刷発行
2020年12月21日　初版第二刷発行

著者　木村由莉

イラスト　鈴木苑子
ブックデザイン　井上大輔（GRiD）
編集　藤本淳子

印刷・製本　凸版印刷株式会社

発行者　田中幹男
発行所　株式会社ブックマン社
〒101-0065 千代田区西神田3-3-5
TEL 03-3237-7777　FAX 03-5226-9599
https://bookman.co.jp

ISBN 978-4-89308-931-1